Contents

雷公传

THUNDER GOD

译者/Wu Jingyu

现代出版社

蔡志忠漫画中英文版

THUNDER GOD

唐代传奇——雷公传

唐代传奇：陈鸾凤（雷公传）

话说唐朝元和年间，在海康这个地区有个力士叫做陈鸾凤，由于他生性耿直，对人讲义气，胆子奇大无比，根本就不把鬼神之说放在心上，因此，同乡的邻居亲友给他取了一个「现代周处」的外号。当地有一间雷公庙，乡民因崇信鬼神，向来非常重视祭拜之礼，且据说雷公庙非常灵验，求财得财，求子得子，只要心诚，凡事皆成，因此香火鼎盛。

My eyes can see objects miles away.
My ears can hear voices a long way off.
I have unusual eyes. They can read a newspaper placed several miles from me.
You are superfarsighted!
No,not farsighted,but nearsighted.
But my eyeballs function like zoom lenses.
I have unusual ears. They can hear voices far, far away.
I can even hear someone speaking at the other end of the Earth.
You're exaggerating! It's impossible!
I can prove it.
Hello!Is that Old Chen in San Francisco? Yes,I hear what you're saying.

There are many deities in the world; some live in Heaven, some live on Earth...
Those living in Heaven are called 神(shen),gods in Heaven.
Those living on Earth are called 祇 (qi), earthly gods.
You sound so knowledgeable. But where's the humour?
Who said anything about humour? It is knowledge!
Quite right.It's knowledge that counts!

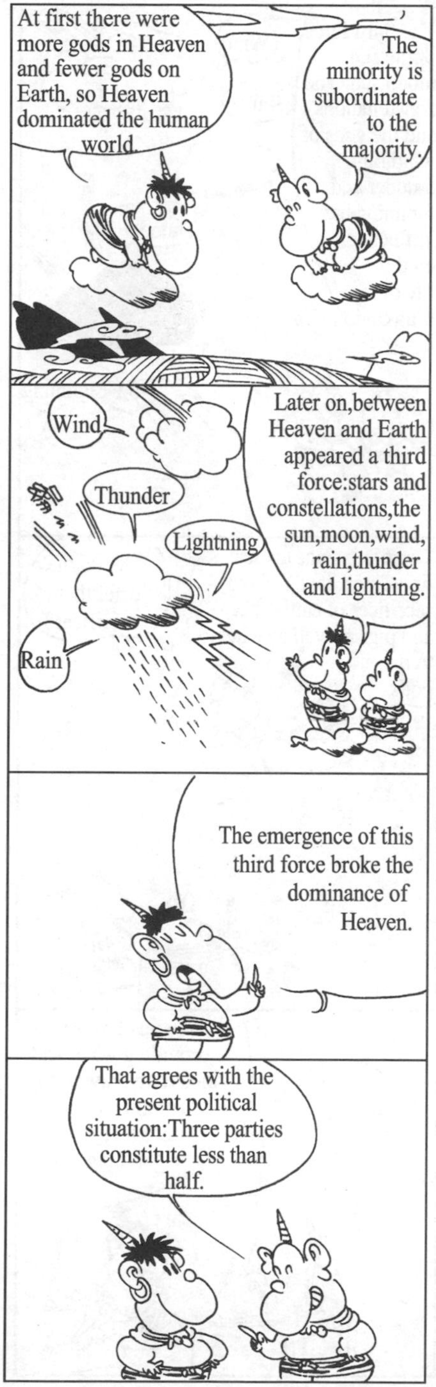
At first there were more gods in Heaven and fewer gods on Earth, so Heaven dominated the human world.
The minority is subordinate to the majority.
Later on,between Heaven and Earth appeared a third force:stars and constellations,the sun,moon,wind, rain,thunder and lightning.
Wind
Thunder
Lightning
Rain
The emergence of this third force broke the dominance of Heaven.
That agrees with the present political situation:Three parties constitute less than half.

唐代传奇——雷公传

海康地方有一风俗，在每年听到第一声雷响的那一天，各行各业都不能做生意，必须休息沐浴净身后到雷公庙上香祈福，如果不心存敬意，或没有准备丰盛的祭品，一定会遭到雷公击毙。这种崇信鬼神的观念早已根深蒂固在海康人民的心中，他们对于雷公的法力是深信不疑的，当然也有例外的人、出状况的时候！那当然就是我们的主角陈鸾凤啰！

有一年刚好遇到海康发生大旱灾，当地人民准备了贡品，膜拜祭祀求雨，可是天空依然是一片晴朗，艳阳高照，没下半滴雨。陈鸾凤很生气地说：「我的家乡，应该是受到雷神庇佑的地方，如今做神的不造福百姓，却还受到百姓如此的膜拜祝祷。今天所有的农作物都烤焦了，所有的农田、池塘都干掉了，所有的牲畜也吃光了，遭逢这么大的天灾却求不到甘露，这样的庙还用来干什么！」于是点了一把火，把雷公庙给烧了。

The third force of the sun, moon,stars and constellations, and the gods of wind,rain, thunder and lightning have influence on the life of Mankind.
Wind
Rain
Thunder
Lightning
Therefore,since ancient times men have offered sacrifices of cattle,sheep and pigs as well as wine to these gods.
Why do they offer them sacrifices?
To thank them for providing water and electricity.Paying for water and electricity once a year is the right thing to do.
Actually people offer sacrifices to the gods of wind,rain,thunder and lightning for different purposes. They offer sacrifices to the Rain God to beg for rainfall.
Please come and water the parched earth...
They offer sacrifices to the Wind God to beg for the opposite.
So I am unwelcome!
I beseech you not to come any more.Please let the wind stop.
Hoo!
Hoo!

It turns out that the four gods were all male.
So disrespectful to the fairer sex...
Later,the Lightning God became the Lightning Goddess,so that there was one female among the four gods.
Was that how the reserved candidacy for women originated in China?
No.
This was the first instance of sexchange surgery.
Rain
Thunder
Lightning
Wind
One of them will be the main character in this comic story.
For the sake of fairness,we will select him or her by throwing a dart.
That's fair.
Wind
Rain
Lightning
Thunder
Stop acting!We know from the title that the protagonist has been chosen already.
Hee, hee.The game is up...

唐代传奇——雷公传

当地还有一个习俗，据说是雷公的规定，就是不能把黄鱼和猪肉混在一起食用，否则会被雷公劈死。有一天陈鸾凤手中拿着一把柴刀，跑到田野中间，故意将黄鱼和猪肉混在一起，弄熟后吃了下去，等着看会有什么事情发生。果然有怪事发生了，一时之间狂风大作、乌云密布，打雷闪电、狂风暴雨齐下。陈鸾凤不假思索，立即以刀刃向上挥过去，结果砍断了雷神的左大腿，雷神中刀掉落到地面上来。

唐代传奇——雷公传

　　雷神的原形长得像熊又像猪，还有长毛状的角，一副青面獠牙的模样。手里拿着短柄的石斧，受伤的大腿处血流如注。就在这个时候——怪云消逝，风雨也停了。鸾凤心里明白，原来「雷」是这样的怪物而不是神祇，于是赶快跑回家，告诉他的家人亲友。说他把「雷」的腿砍断了，要大家一起去看个究竟。没想到大家都吓了一跳，心惊胆战地一同前往，果然看见「雷」被砍断了左腿。

Who'd like to act in the play for the lowest pay? You can bid for the leading role.
That's fair!
I must get the part.
Polling Box
Open the tenders!
Wind God bids $400,000. Rain God bids $250,000!
Wow!
Hee, hee, hee!
Lightning Goddess is willing to act in the play for one yuan.
I'm willing to do it without pay, just to be the lead.
Thunder God wins! He offers to pay us $500,000 to play the lead.
Wow!

Congratulations, Thunder God! You are to be the hero of the play.
Thank you.
To thank you for all you've done, I'll give each of you a part.
What parts do we play?
I am Thunder god.
Of course you play Son and Grandson of Thunder God.

*The Chinese word for "*thunder*" is made up of two parts:the upper part means "*rain*", and the lower part means "*field*".

唐代传奇——雷公传

陈鸾凤又拿起刀，想把雷公杀了，把它的肉剁成肉酱，却被乡人阻止。他们说：「这妖怪是天上的灵物，你只是凡间俗人，倘若将它杀害，必定会连累我全乡的人遭到灾殃。」于是大家一起捉住陈鸾凤，让他不能得逞。过了一会儿，又是怪云又是雷声，带着受伤的怪物和被砍断的腿离开了人间。接着下起滂沱大雨，从中午一直下到傍晚。

陈鸾凤被所有在场的亲友乡人痛骂了一顿之后，不许他返家。于是他手里拿着刀，走了三十里路，来到他舅兄家中投宿，可是当夜却遭到雷击，把他睡觉的房间给烧光了。于是他气得拿着刀立在庭院中，一副正气逼人的样子，「雷」终究是拿他没办法，不能加害于他。没一会儿工夫，有人把今天以来所发生过的事情，一五一十地转告给鸾凤的舅兄知道。结果他又被人赶了出来。

Thunder God,a god of weather,evolved from Lei Zhenzi in Creation *of* the *Gods.*
Oh ...
!
Wrong!Creation of the Gods is a mythological story by Xu Zhonglin of the Ming Dynasty...
The origins of Thunder God may be traced to the gold-winged roc in a Buddhist scripture.
So he's an earthly god from India who came to work in China.
That's right. This Indian passport here is proof.
We have Chinese earthly gods;why would we believe in a foreign god?
What's wrong with that?
Tathagata whom we Chinese worship was originally a foreign god.
At least the Monkey King is an indigenous god of ours!
No!I am also originally a character in a Hindu myth.

It wasn't a very good introduction.
Here's a box of foodstuff to thank you for introducing me.
We'll do better next time !
What tasty treats are in here ?
Biscuits probably.
What kind of food is this?
Food for thought...
To go on stage as emcees,you should read more historical classics to enrich your minds.
I,Thunder God,have no Thunder Son or Thunder Grandson,but I have an ancestor,Lei Zu.So I can count myself as a descendant of an illustrious family.
It is said that the wife of Huang Di was called Leizu. Later on Leizu evolved into "Lei Zu" .*
Huang Di
Leizu
I am a descendant of Huang Di,so I come from a blue-blooded family.
All Chinese are descendants of Huang Di.It's not at all uncommon; so you don't count as an aristocrat.
Is that so?

*The name of the wife of Huang Di 黄帝,one of the Three August Ones,was Leizu 嫘祖,the patron saint of silkworm breeders.The Chinese for Thunder God is 雷祖

接着他又到寺庙投宿，同样也遭到雷击，借宿的房间又被烧毁了。鸾凤知道自己不论走到哪里都一样会遭到报复，于是连夜拿着火把，跑到山洞里面躲了起来。就这样雷再也打不到他，也没有再发生烧房子的事件。结果他在山洞里躲了三天三夜才回家。从此以后，若遇到海康发生旱灾，当地人民就会重金延请陈鸾凤，让他拿着刀，带着黄鱼和猪肉两种食物到田野间食用，就像前一次一样。

唐代传奇——雷公传

结果每次都会下起大雨来，解除旱象，二十几年来皆如此。于是大家都尊称陈鸾凤为雨师。直到唐朝大和年间，刺史林绪听到这样的事情，便召见陈鸾凤，问他事件的始末缘由。鸾凤回答说：「我年轻的时候，年轻气盛，一身是胆，不信鬼神雷电等物，只要是没有好好照顾百姓的，我宁愿牺牲自己的生命，来解救天下苍生，就算是玉皇大帝也不能放纵雷鬼到处惹是生非。」

Thunder God used to be called the God of Thunder...
Thunder is also called "heavenly drum",so Thunder God has heavenly drums.
The task of Thunder God is to beat the drums every day to call forth rain.
So you have such a talent!We can work together.
In what way?
Form a band and play at a hotel in the evening to earn some money.
In olden times I was a landlord and had six *mou* of farmland...
Then it became four,three,two, one...
Why less and less...
Did you lose it by leading a dissipated life?
No.
My land was taken away by the land policies of successive governments!

A Taoist book states thus:The Thunder God's name was Jiang Hechong,and the Lightning Goddess was called Xiu Wenying.
It's a pity that my wife the Lightning Goddess divorced me long ago because she couldn't stand my thundering!
She could not bear your hot temper?
No.
She could not stand my thunderous snores!
Zzz...

I not only have wings and can fly,but my most powerful weapons are the hammer and chisel in my hands!
Ha! my hammer and chisel can't wait to start work...
Something interesting is starting!He's going to kill a scoundrel!
No!I'm going to make statues in the ghetto.

林绪听了陈鸾凤一番话，对于他的义行十分欣赏，于是赏给他很多金银财宝，希望他能继续维持正义，作为乡里的表率。后人于是封陈鸾凤为雨师、雨伯，请他代雷公职位，专门掌管人间降雨一事，因此特别受到江南地区农民的爱戴。

唐代传奇：周秦行纪

牛僧孺满怀壮志去应考，却不幸名落孙山，只好垂头丧气地回故乡去了。他从长安出发，路经鸣皋山，准备走到大安，找个人家借宿一晚再走。没想到走到天都黑了，还见不到大安的影子，没办法只好顶着月光前进，又走了十多里路，虽然路变得比较平坦，但四下无人，他不禁开始害怕起来。走着走着，突然闻到一股奇异的香气，他便循着香气前进，忽见远处有微微的灯光，心想大概是村庄，于是便加快脚步。

Not bad! Not bad!these statues are very well sculpted.
Exhibition
But I don't understand why you only make male statues but no female ones.
I have always wanted to make a statue of a goddess,but I'm afraid it would be out of place among the other statues..
How could it be?
All right,then.I'll make a beautiful goddess from the West－Venus.
Wow!
Besides sculpted, I am also good at writing poetry.
I'll recite a Lei poem*written today:"Fish and dragon stir up terrifying waves;Thunder and hailstones sound like horses' hoofs."
Your poem is exactly the same as the Poems of Xinqiao by Su Dongpo,the Song Dynasty poet.
Plagiarism!
They're simply identical.Lei Poem means "identical poem".**
Hee, hee, hee!

*The Chinese word for "thunder" is pronounced "Lei" .Lei poem means "poem written by Lei",just as poems by famous poets Du Fu and Li Po are called "Li poems" and "Du poems" .

**This is a play on words.The first character in the Chinese word meaning "identical" 雷同 is the same as the Chinese word for "thunder".

I have another asset.It is my sonorous voice.It reverberates like thunder.
What's the use of a lousy voice...
Ah!
Who says it's useless?A loud voice can be of great use!
It does have magical effect!
Fire !
KTV

As a matter of fact,beating the drums,sculpting and writing poetry are just my hobbies...
My job is to supply thunder and rain to the world!
The wind,rain,thunder and lightning each has its own job. Do you supply rain too,Thunder God?
No.
I can only lobby on behalf of human believers for rain...

唐代传奇——雷公传

走近一看，原来是一座富贵人家的大宅子，一个身穿黄衣的守门人见牛僧孺走来，便低声问：「喂，你是什么人？打哪儿来的？」牛僧孺回答：「我叫牛僧孺，因为上京赶考未能及第，正要返回故乡去。原本想到大安借宿一夜，不料却走错了路来到这儿。天色已晚，我没有其他的意思，只求施主能够借宿一晚。」黄衣人叫牛僧孺在门外稍候，他匆匆跑到里头报告去了。一会儿，守门人出来对牛僧孺说：「主人请您进去。」

唐代传奇——雷公传

牛僧孺战战兢兢地随着黄衣人往里走，一直经过了十几道门，才走到大殿。殿中垂着珠帘，殿前有数百个身着红衣、紫衣的人分立两旁。忽闻帘内有人说：「我是汉文帝的母亲薄太后，这是两朝，你怎么会到此地呢？」牛僧孺回答说：「小的因为考试落第要回家，天黑迷路，恐怕路上会发生意外，所以冒昧前来借住一晚。」太后和蔼地问牛僧孺：「走那么远的路，想必很辛苦吧！」两人便坐下聊起天来。

Whether one can profit from taking charge of the weather depends on the area one is responsible for.
South of the Yangtze where rivers and lakes abound, nobody prays for rain...
Oh,Jade Emperor in Heaven!Please assign me to a dry area!
OK.
Nobody prays for rain in the Northwest either...
Gobi Desert
Jade Emperor!My previous assignments were to areas either too dry or too wet where no one prays for rain. Please transfer me to a better place.
OK.
I'm sending you to Haikang in Guangdong Province.I guarantee that people there often pray for rain.
Thank you.
Why have you become so accommodating , Jade Emperor?Aren't you annoyed by the unreasonable requests of Thunder God?
Starting next year,the Jade Emperor will be elected by balloting,so I have to ingratiate myself with voters!

唐代传奇——雷公传

大约过了一顿饭的时间，两人听到殿里传来一阵笑声，薄太后优雅地说了：「正好有两位女伴来找我，又遇上您这位贵宾，不妨请她们出来相见，大伙热闹一下。」一会儿有两位女子姗姗走了出来。前面一位细腰长脸，头发又黑又多，年纪大约二十出头，穿着一袭青色衣服，太后介绍说：「这是汉高祖的妃子戚夫人。」后面一位，皮肤白皙、神采飞扬，穿着绣花的衣服，年纪比薄太后要小些，太后指着她说：「这位是汉元帝的妃子王昭君。」

*The Chinese terms for sea mines and land mines are 水雷 and 地雷 respectively.

**Torpedo is known as 鱼雷 in Chinese.

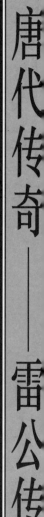

唐代传奇——雷公传

介绍完毕后，众人便依次坐下。薄太后坐定之后，好像又想起什么似的，连忙吩咐左右：「快去迎接杨家和潘家的人来。」一会儿，有五色云彩由空中冉冉而下，听到的笑声也逐渐清晰。一刹那间，光彩夺目，目不暇给。有两位女子从云中下来，前面那位女子腰很细，眼睛很长，长得艳丽绝伦，穿黄衣，戴玉冠，薄太后介绍说：「这是唐玄宗的妃子杨太真。」牛僧孺马上拜伏在地，行臣子之礼。

Oh, Thunder God! Please give us rain...
Mum... Delicious!
Having eaten his sacrifice,I've got to solve his problem.
Rain God! I beg you to dispense some rain!
Besides providing thunder and rain,he also administers law and justice...
Justice Bao of Heaven
You put poison in the stream to redress your personal grievance.Aren't you afraid of being struck by the Thunder God?
Hee, hee, hee.
Thunder God,please strike that rascal dead!
All right.I charge 250 ounces of silver for each case I handle.

唐代传奇——雷公传

杨贵妃：「你怎么好久都不来了呢？」杨太真矜持地回答：「最近唐明皇常来华清宫，我忙得哪有时间来？」说：「这是齐朝的潘淑妃。」大伙儿叙礼完毕，太后吩咐开饭，吃过饭后，又准备了酒喝。席间，薄太后问之礼，岂不是不太妥当吗？」另一位长得很丰满、一副聪明样，个子小小的，穿着又宽又大的衣服，薄太后

杨太真红着脸说：「这可不敢当，我得罪了肃宗，唐朝天子并没有把我当成真正的后妃，你这样行臣子

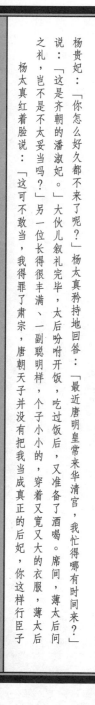

王。」

牛僧孺答：「我是个无才无德的小人物，实在不敢对天子的德行妄作评论。听民间传说，他是个圣明的君宗的长子。」杨贵妃笑着说：「想不到沈婆的儿子居然做了天子！」太后又问：「他是个什么样的天子？」

了等他，懊恼不已，也没有心情前来。」薄太后又问牛僧孺：「当今的天子是谁啊？」牛僧孺回答：「是肃

太后转头又问潘淑妃：「你也好久不来了，怎么了？」潘淑妃笑着说：「东昏侯一天到晚出去打猎，为

He was tall and muscular, a born martial artist.
I owe it all to the genes I inherited from my dad.
As Fate would have it,this hero had a feminine name,Chen Luanfeng.*
How embarrassing...
...
My father is to blame for giving me such a rotten name.
To be skilful in martial arts you must lay a good foundation.
Ho! Break!
By grinding away at it resolutely...
One, two!
One, two!
One, two!
...a sword can be turned into an embroidery needle!

*The literal meaning of Luanfeng，鸾凤，is “phoenix” .So it is often used to name girls.

I spent 10 years honing this sword; its keen edge is yet untested. I am showing it to you today; Could you tell me where there is injustice?
There is injustice...
Seeing injustice, I draw my sword to assist.
The road is bumpy* here.Will you be good enough to level it?
I hear a tiger in the South Mountain and a dragon in the North Lake have harmed numerous people.
A hero is duty-bound to rid the people of evils!
There's no need!The tiger in the South Mountain and the dragon in the North Lake were put away long ago by Zhou Chu of the Jin Dynasty.
A hero does not shed tears easily,but it is really sad that there's no evil for me to rid...
It's the fault of Almighty God. Having created Chen Luanfeng, why did he create Zhou Chu before him?

*This is a pun. “不平” in the idiom “路见不平” means “injustice”,but when used by itself,it means “not level”.

唐代传奇——雷公传

歌舞队在薄太后的命令下进来了，大家一边观赏歌舞，一边饮酒作乐。酒过数巡，薄太后一时兴起，对大家提议道：「牛秀才旅经这里，几位姑娘又刚好连袂来访，大家有幸聚在一起，机会难得，我们何不干脆各赋诗一首，说说自己的心志，藉此解解闷、打发打发时间？」几位姑娘听了，高兴得齐声回答：「太好了！」薄太后马上叫人备妥纸笔，不一会儿的工夫，大家都纷纷交上了卷子。

红泪流珠满御床。云雨马嵬分散后，骊宫不复舞霓裳。」
汉宫休楚舞，不能妆粉恨君王。无金岂得迎商叟，吕氏何曾畏木彊。」杨贵妃则写着：「金钗堕地别君王，
的是：「雪里穹庐不见春，汉衣虽旧泪垂新。如今最恨毛延寿，爱把丹青错画人。」戚夫人咏的是：「自别
薄太后的诗是：「月寝花宫得奉君，至今犹愧管夫人。汉家旧是笙歌处，烟草几经秋复春。」王昭君写

wine
No crossing the ridge after three cups
Are there tigers that eat people?
wine
Stony Ridge
There are lots of tigers.They're all inside.
What!
Only they do not eat people now.They are to be consumed by people.
Tiger Bone Wine
Wine
Wine
What does that sign mean?
No crossing the ridge after three cups
It means after three cups of our wine,you won't be able to cross the ridge.
Oh!
Drinking these three tiny cups in no problem at all!
Drinking is no problem,but paying for your drinks is a problem.
Price list
30 ounces of silver for three cups of wine.

I don't give a damn for the warning.I am going to cross the ridge after I drink three cups.
One.
Two.
Three
It's no fun drinking from these tiny cups.Bring me a bottle.
Yes, sir.
Ha,Ha!He,too,is unable to cross the ridge after three cups.
Bring me the bill, waiter.I'm going up the mountain to kill a tiger.
Yes, sir.
I have told you there's no tiger to kill here.
But there is a tiger for me to kill.
Where is it?
Bill 300 ounces of silver
The tiger with a smiling face who operates a shop to cheat people!
Waw!

一起来。」

衣服。太后看到牛僧孺正望着那个女孩，便回头问他：「认识她吗？她就是晋朝石崇的爱妾绿珠，常和潘妃

事，不知今夕是何年。」牛僧孺注意到另一个很会吹笛子的女子，头发短短的，长得也很秀气，穿着漂亮的

嘴八舌地相互取笑着，牛僧孺不得已，也写了一首：「香风引到大罗天，月地云阶拜洞仙。共道人间惆怅

潘妃的诗是：「秋月春风几度霜，江山犹是邺宫非。东昏旧作莲花地，空想曾披金缕衣。」几位女子七

唐代传奇——雷公传

他。」不方便，也不应该。」潘妃也急着说：「东昏侯为了我，送了一条命，封地名号全被取消，我可不能辜负远道而来，理当好好招待，今晚谁愿和他做伴？」戚夫人首先起身推辞：「我的孩儿如意已经长大了，陪他声空怨赵王伦。红残翠碎花楼下，金谷千年更不春。」夜阑人静，夜已深了，薄太后望着众人说：「牛秀才太后又笑着对绿珠说：「你也不能不作一首！」绿珠略为沉吟了一下，便写道：「此日人非昔日人，笛

Stony Ridge
Hoo!
Hoo!
Hoo!
Hoo!
Hoo!
Hoo!
Hoo!
Hoo!
...
This daredevil dares to sleep in my territory.He's not afraid of ghosts.
Being a ghost myself,of course I'm not afraid of my kith and kin.
What kind of ghost are you?
...
A drinking ghost!*

* "Drinking ghost" is the literal translation of the Chinese term 酒鬼,which means "drunkard".

Repugnant sham ghost, you have no idea how terrible I,the ghost of ghosts,am.
I have the wit of a devil and the power of a demon.I sneak around furtively;peeping and prying.,I am full of devilish tricks and sinister designs.
I have only one devilish talent that is : scrawling*...
Waw!
Zhong Kui catches a ghost!**
Chen Luanfeng achieved instant fame by fighting a demon at Stony Ridge and became a demon-fighting hero.
I can see from your complexion that you are a courageous man!
Thank you.
And you are also a cautious person!
The radiograph shows that you have an atrophied heart and an unusually swollen gall bladder.***

薄太后看着杨贵妃说：「杨太真是当今皇朝的先帝的贵妃，这件事可不能跟她提。」这个不可，那个不行，大家不约而同地把目光集中在王昭君身上。薄太后代表发言：「你起先嫁给匈奴的呼韩邪单于，后来又转嫁殊累若单于，说起来还是你自己比较能做得了主，今晚我看就由你来陪牛秀才吧！」王昭君羞怯怯地低着头，一句话也没说，表示答应。于是牛僧孺被左右侍从拥着，送到昭君院去了。

*A jocular colloquial Chinese term for untidy handwriting is 鬼画符,literally translated as "a magic figure drawn by a ghost".

**Zhong Kui is a deity who catches demons.Therefore,his pictures are pasted on doors to ward off evil spirits.

***The Chinese word for gall bladder 胆 is the same as in 胆大,meaning "courageous" or "bold".

　　天快亮的时候，侍者来通知起床，只见王昭君红着眼圈，依依不舍地和牛僧孺话别。这时又有侍者传说薄太后要接见他，牛僧孺别了昭君来见太后。太后客气地对他说：「这里不是你久留之地，我们得分手了，但愿你常记起昨夜愉快的情景。」于是匆忙吃过早饭，牛僧孺便向大家致谢辞行，戚夫人、潘妃、绿珠都掉下泪来。太后更派了一名红衣使者护送牛僧孺到大安去，等到上了大路，看看天已大亮，红衣使者竟不知何时消失了。

You have terminal cancer and have only two more years to live.You have only one year to live because of swollen gall bladder.Because of high blood pressure,you have only three years.For third-stage Tuberculosis,four more years. For atrophy of right atrium, only one more year...
Two plus one plus three plus four plus one plus six plus eight plus 10;altogether you have 35 more years to live.

Having established his reputation as a demon-battering hero, Chen Luanfeng decided to make exorcising evil spirits his occupation.
Demon-battering Hero
With my feet I tackle the demons of North Lake.With my fists I bash the ghosts of South Mountain!
Demon-battering Hero
You specialise in dealing with ghosts.Can you deal with the God of Plague too?
Yes!You are anaemic and underweight.My secret prescription for your ailment is lots of exercise and plenty of liver soup.

How dare you set yourself against ghosts and demons! I,the God of Plague,will drop germs on you.
!
Ha,ha,ha!I am immune to your plague germs.
Who says you are immune ?The symptoms have obviously appeared.
What symptoms?
The symptoms of megalomania!
...
Damned God of Plague!Let's see which one of us is more powerful.
Wah!
Boom!
Bash the God of Plague with my fists. Tackle the evil spirit.
Boom!
Boom!
Please spare me,hero!
Only if you rid yourself of the harmful disease.
With the radical of "disease"taken from your name,you've become a gentle god.*
...
Gentle God
Ha ha!
Ha ha!

当牛僧孺独自走到大安时，询问里中人是不是有一栋大院人家，里人回答：「没有啊！不过离此地十几里路远处，倒是有一间薄太后庙。」牛僧孺不信，又回头走去瞧瞧，发现有一座薄太后庙，已是破败不堪，荒烟蔓草，草长过人，与昨夜所见，截然不同。可是衣襟上还隐隐约约地留着香气，经过了十几天都还消不掉，这件事牛僧孺真的被搞糊涂了。

*The Chinese term for "god of plague" is 瘟神.When the radical meaning "disease" is removed from the word,the inside part is left and the word becomes 温,which means "gentle".

唐代传奇：灵应传

蒋举城位于泾州东边约二十里，城外有个水潭叫善女湫，水潭十分辽阔，但是水草漫布而且四周有着高大的古木环绕，传说深水中常有许多精怪出没，因此当地人便在水潭旁边立了一个九娘子的祠庙，大伙常准备祭品到这里来消灾祈福。在泾州西边两百多里的地方，也有一个潭，人们唤潭神为朝那，灵验的程度不下于九娘子庙，很得人们的信仰。

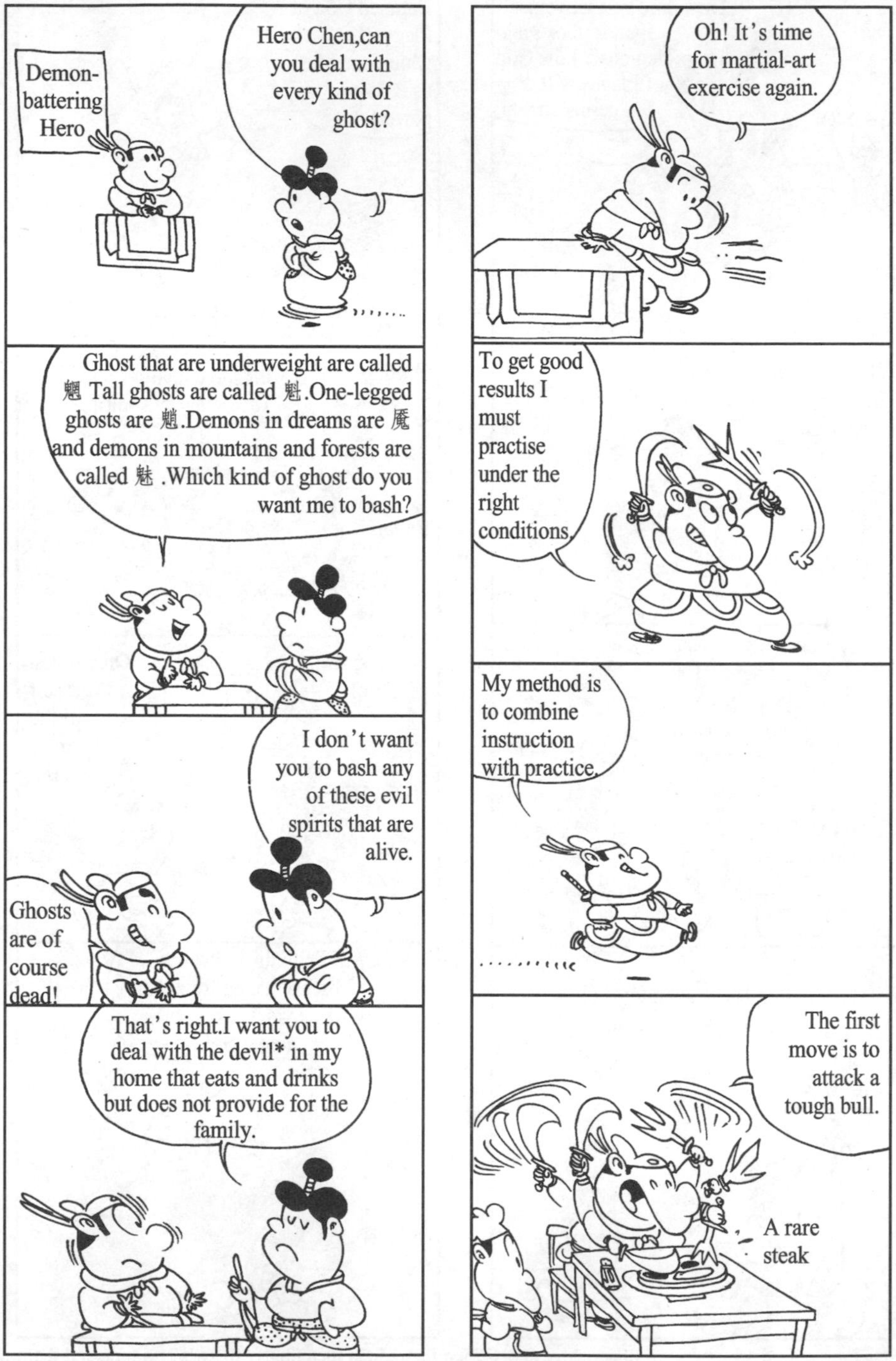
Demon-battering Hero
Hero Chen,can you deal with every kind of ghost?
Ghost that are underweight are called 魍 Tall ghosts are called 魁.One-legged ghosts are 魈.Demons in dreams are 魇 and demons in mountains and forests are called 魅 .Which kind of ghost do you want me to bash?
I don't want you to bash any of these evil spirits that are alive.
Ghosts are of course dead!
That's right.I want you to deal with the devil* in my home that eats and drinks but does not provide for the family.
Oh! It's time for martial-art exercise again.
To get good results I must practise under the right conditions.
My method is to combine instruction with practice.
The first move is to attack a tough bull.
A rare steak

* 死鬼 is a term often used jocularly and sometimes as a term of endearment.

To be bold I must eat food that builds up my courage.
Waiter,I want bear's heart and leopard's gall bladder.*
It's against the animal protection law to eat these things.Please order something else
OK.Then change my order to leopard's heart and bear's gall bladder!
Since I'm not allowed to eat bear's heart and leopard's bladder, please get me lots of fish and meat.
Sorry!The rule here is you can only choose fish or meat, not both.
Are you afraid that I won't be able to pay?
No.
The rule was laid down by the Temple of Thunder God .One who eats too lavishly will be struck to death.

唐代传奇——雷公传

有一年的仲夏时节，善女湫及朝那湫同时冒出滚滚的云气，形状时而像山峰、美女，时而似猛虎、老鼠……接着又刮风、下雨、打雷、闪电，使得屋倒树毁，人民伤亡无数。当时的泾州节度使周宝，看到自己的治下竟遭到这样的变故，以为是自己行政上有了偏差，才招致神灵的谴责，他是一个相当尽责爱民的官吏，心里十分难过，便仔细地检讨自己。

* 熊心豹子胆 is a Chinese phrase often used to mean "unusual courage",as the word 熊 meaning "bear" is a homonym of 雄 and 雄心 means "great ambition".

唐代传奇——雷公传

一个大热天，周宝处理完公事，那时已快接近中午，他觉得有些困倦，便靠在枕上休息，在昏昏沉沉当中，有一个头戴钢盔、身穿铁甲、手执大戟的武士走了进来说道：「有一位女客在门口，正等着您接见呢！」周宝心生疑惑，问道：「你是谁呢？」武士恭敬地回答：「我是守门的卫士，在您的手下做事已经有好几年了。」

I'm not even afraid of ferocious devils and earthly gods,what is the Thunder God to me?
Aren't you afraid of any ghosts and gods?
No!
There's only one god I dare not offend.
Which one?
Let riches and treasures come into the house.
God of Wealth!
Is it true that you are not afraid of any gods or demons and have the nerve to punish the Thunder God?
Of course.
Very good! I'd like you to punish this thunder god of plague.
All right.
You devil! You don't support your old mother.And now you even dare to bring home a friend!
Pang!
Dang!
Just wait and see how I'm going to kill you!
Even I am scared of this kind of thunder goddess!

It is said that there was on Leizhou Peninsula a Temple of Thunder God.
Though Thunder God is but a minor god , the temple is a huge one.
Ha,ha ha! A tiny temple boasting of being a large temple.
Our income from worshippers is $30 million. Our temple owns 300 mou of landed property. And we have $10 billion in the bank. Do you call that tiny?
Though the temple was not a big one, it attracted a large number of worshippers.
Every day worshippers from all over came to pay homage to the Thunder God.
Are you folks praying for rain?
We abide by the principle of honesty and good faith. We grant whatever is requested.
I am praying for lucky numbers for the lottery.
I'm praying for a son!
Not at all!
I am praying for wealth!

唐代传奇——雷公传

这时见两个婢女从大门走了进来，跪下说：「九娘子特地来拜望您，先派婢子来禀告。」周宝回声应道：「九娘子也不是我的亲戚友人，怎么会冒昧来见我呢？」话还没说完，就觉得有一阵奇香扑鼻而来，接着一阵祥云细雨飘落四周，就看见一个年纪大约十七八岁，穿着素净的女子，从天而降，她风度高雅，容貌脱俗，身材窈窕。由十多个服饰讲究的侍从，众星捧月般地簇拥着她，缓缓向周宝走来。

唐代传奇——雷公传

周宝正想要回避，其中一名侍从连忙向前阻止道：「我家主人因为敬佩您的为人，特地来此向您申诉冤情，难道您忍心袖手旁观、不伸出援手吗？」周宝只见她拘谨地低着头，满脸愁容，于是依照宾主之礼接待她，请她坐下，并叫人预备丰盛的酒菜，很客气地招待她。一会儿，九娘子起身说：「我一向住在郊外，享用人们的祭祀，今天实在是遇到了困难，才到这儿麻烦您。」

I hear that this temple is efficacious. Is it true?
Of course.We have no communication problem with Heaven.
How do you prove it?
Hello! Is that Heaven?May I speak to the Thunder God?
!
Let the Thunder God himself prove it to you .You answer the phone...
Waw!
Devotee Chen offers you a chicken,Thunder God . Please bless me with wealth.
All requests are granted. You beg for wealth,you'll get it.
What? Only one silver ingot...
You know very well the price of a chicken. Why are you not satisfied with one silver ingot?

Thunder God, please bless me with a son.
Sorry! A campaign is on in Heaven at the moment to wipe out malpractice. I can't help you get a son.
What does the campaign have to do with my getting a son?
Heaven strictly forbids immoral deity-human relationships.
Heavenly gods, earthly gods, Let Man and trouble be separate. Let all sufferings be turned into dust.
Are you praying for peace and safety?
Yes.
Please sign on the contract.
Thunder God will underwrite your life insurance. The monthly premium is $3,000.

唐代传奇——雷公传

周宝一听爽快地说：「您就请直说吧！如果我有任何可以效劳的地方，绝不会推辞的。打抱不平、杀身成仁乃君子分内之事，赴汤蹈火在所不辞。」九娘子深深地行个礼说道：「我本世居在会稽山附近的郯县，后来被姓庚的仇家所害，全家五百多口几乎全都被烧死，先人只得忍辱负重潜逃到荒僻的地方。到了南朝梁武帝天监年间，皇上打算派人用烧燕这道美味去引诱洞庭君专管宝藏的七女儿，骗取宝物。」

「我们的仇家知道了这个消息，便从鄚白水郎辞了官，去应征这项任务，目的是想假公济私，混进龙宫来消灭我们。所幸朝中有个大臣探知了他的诡计，就向皇上谏止，武帝因此改派他人前往。而我的先人为了隐灭行踪，从此改名换姓，带着族人迁移到新平郡真宁县安村定居下来，至今已有三代了。我的父亲是灵应君，受封为灵应侯，后来受封为普济王，他的德望很高，受世人的敬重。」

The Thunder God Temple at Haikang was visited by many worshippers.They came to beg for sons,for wealth,for success in gambling...
This temple does not attend to its proper business.It neglects its duty to adminster rain.
Do you know what I have come all the way for?
For the third reading of the Veteran Farmers' Subsidy Act at the Legislative Council?
Thunder God, please give me the winning numbers of the next lottery draw.
All requests are granted. Now show a set of figures.
They're all here, from 0 to 9.You can guess their combinations!

I have come to beg for rain.
Heaven has not given us any rain for six long years. Do you know that?
That's easy. I'll see to it at once!
Is that the provincial government? Please grant disaster subsidy to the Haikang district and apply for exemption of land tax for six years.
Please use your power to give us rain. Otherwise, our crops will fail again.
Please,gods in Heaven and on Earth,give order for incessant rain!
Ha,ha, ha!It's raining!
Wait! This drizzle is for me to clean myself before I pray for rain.

唐代传奇——雷公传

「我是灵应君的九女儿，嫁与象郡石龙的小儿子，我的丈夫生性粗暴，又不守法纪，公婆又很纵容他，任凭他残虐视事、蔑视礼教，结果招致满门灭族之祸，只有我一人得以幸免。后来父母要将我改嫁，但我主意已定，誓死不再嫁，因此父母对我这种刚烈的脾气十分恼怒，便把我一个人丢在这里，不闻不问至今也有三十多年了，虽然远离父母、离群索居，却倒也还悠然自得。」

辱，即使死在九泉之下，也没有脸去见先夫。」

打了三次仗，三场都失败。本来想就此背水一战，无奈唯恐敌人兵力太强大，一旦被攻占，将遭到恶人的侮父亲早知道我心意未改，于是就叫小龙君带兵来逼攻，虽然我也带了数十名家童应战，可是终究寡不敌众，

「直到最近，朝那湫的小龙君，为了他弟弟向我提亲，虽被我断然拒绝，但他仍不死心地去说动我父亲。

I'll do an Indian "rain dance" and rain will come.
Hey-you!Hei-hei-you! Hoo-la-la-hoo-la-la-you!
Hoo-hoo-hoo-la-la!Woo-woo-woo!Ha,ha,ha!
Where's the rain?
It's here.My sweat is dripping like rain!
You cannot get rain for the people. What's the use of this temple ?
Hocus pocus!
I'm going to pull it down!
Boom!
Though I can't bring you rain, I can bring you disaster.

Evil temple ,you only accept offerings,but do not pray for rain on behalf of the people. Might as well chop you into pieces!
According to decree of the Ministry of Culture nobody is allowed to lay hands on any bricks or tiles of this temple.
This temple was built in the Tang Dynasty,so it is an important national relic.
First-grade national historic site
An old farmer is not as precious as an old structure.
First-grade national historic site
When a temple is old enough it is protected by the Ministry of Culture. Who protects an old farmer?
This vicious temple bullies the virtuous and fears the wicked.It does not send up prayers for the welfare of the people...
Might as well burn it down.
Please wait till my call gets through.
You're calling Thunder God for help?
I'm calling the Fire Department.

唐代传奇——雷公传

能助。」

样子：「边疆军情紧急，我每天都紧张地待命，只要一声令下，就得出发杀敌，对于你的问题，实在是爱莫女子的言辞渊博，其实心里早已答应了，仍故意找些理由来推辞，好试试她的应对，于是装出一副很为难的好让我跟那班无理之人周旋到底，以保全我守节的誓愿。我衷心地恳求您，千万不要拒绝！」周宝很惊讶这「我听说您是个明德的君子，德化可通于幽明两界。因此，冒昧前来向您求援，希望您能拨调一些人马，

到父母斥训，且招致恶人的欺凌，这样的处境，难道不能打动仁人君子的心吗？」灭亡。申包胥为了挽救国家，牺牲一切，终于感动了强大的秦国，而我一个弱女子，为了保守贞节，不但受求援助，倚着城墙哭了七天七夜，终于以他的忠贞感动了秦国，于是派兵帮助楚国打退吴国，楚国因此免于九娘子立刻引经据典，滔滔不绝地辩道：「从前有楚昭王遭到吴国的攻打，败退连连，申包胥到秦国请

Oh, Thunder God! If you still will not make your appearance and give us rain,I'm going to set fire to your temple!
Go ahead!Not only will I not stop you , I will be very grateful to you!
Because I have taken out a five billion yuan fire insurance.

Since Thunder God has given his consent, I'm going to set fire to you.
Huh? Aren't you afraid of being burnt?
Being law-abiding has its advantages.
In accordance with government regulations,this temple was built entirely with fireproof materials.

周宝又故意疑惑地问：「你不是有神力吗？我们这些凡人的性命尚掌握在你的手里，你又何必要反过来向我求助呢？」九娘子急得快哭出来地说：「洞庭君是我外祖辈，咸阳附近八条河的河神，也多是我宗亲，不是我吹牛，只要我派人告诉他们，他们一定会马上来帮忙，到时候兴风作浪，雷电交加，波涛汹涌，准叫朝那神粉身碎骨，泾州附近千里之地一片汪洋大海！」

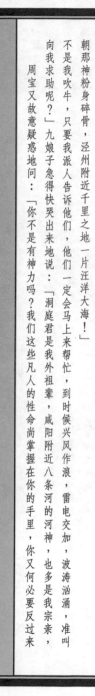

「只是近来泾阳君和洞庭君两亲家，因洞庭君的幼女遭到泾阳君的小儿子遗弃而失和，洞庭君的弟弟钱塘君一怒之下发动大水，不但把泾阳君给吞没掉，也连带伤害了许多生灵和农作物，而且我的丈夫又因造孽太多，触怒了天帝，至今都尚未释怀，为此我们一直兢兢业业，不敢稍有丝毫的差错。如果您真的不肯同情我，不愿出兵帮忙，那我也只好不顾天帝的斥责，拿出最后的杀手锏了！」周宝听九娘子这么一说，这才答应了她的请求。

Thunder God,you've eaten so many fish offered by the people,you ought to give them some rain!
Come, rain!
Coming!
It's a fish!
As the Thunder God,you should bring rain to the common people!
Please let us have rain,heavy rain,light drizzle whatever. Otherwise,I won't let you have a moment's peace.
Rain is coming!
A rain of arrows.

Impudent rogue,you have the audacity to set yourself against me ! See how I'm going to deal with you!
Ah!
Oh! Thunder God is actually a big bird in human shape...
Now you know that,but it's too late!
Not at all late!
Being well equipped, I never lose a chance for birdwatching.

Bold fool, you have challenged a god. I'm going to strike you with lightning!
Boom!
Boom!
What ! No electricity?
Come on! Who's scared of you?
Sorry!Power is cut for half an hour during peak periods in summer.How about a truce of 30 minutes?

唐代传奇——雷公传

结果周宝这一睡，一直到午后才醒来，梦中的情景始终未能忘记，于是第二天，他便依约派了一千五百名士兵，前去守护善女湫的九娘子庙。但是第三天清晨，天才蒙蒙亮，九娘子又派遣手下来找周宝，说道：「昨天承蒙您借调士兵给我们，但幽明两隔，却无法指挥，希望您能够再想想其他的法子！」周宝想了半天，这才明白其中的道理，立刻叫手下备妥阵亡士兵的名册，并挑选孟远为统领，将名册送到九娘子庙。

唐代传奇——雷公传

事隔数日，有一名士兵突然晕倒在地，一直到隔天才又豁然清醒，周宝觉得有异，便问他怎么一回事？士兵回答说：「九娘子派人找我过去，并让我把她的意思转达给大人，她说：『蒙大人借调勇兵，真是感激不尽，个个武器精良、英勇善战，只有统帅孟远非常慵懒，又不懂用兵之道，前天敌军三千来攻，孟远带兵迎战，结果被打得落荒而回。希望能另外找个有谋略的将领。』她一说完，我就慢慢醒了。」

Meanwhile I'll deal with you with a homemade bomb.
Take this!
Wah!
Chi—ang!
It is indeed a bomb made entirely of earth.*
Ha!
Ha!
Ha!
OK.Let's have a 30-minute truce.
30-minute truce
I'm taking the chance to have a drink of water.
I'm taking advantage of recharge my batteries.**
Ways to defeat Mankind...
Handbook of Complete Victory

* The basic meaning of the first character in 土制 ,which means "locally made" or "home-made" is "earth" or "soil".

**In modern colloquial Chinese, 充电, which originally means "to recharge a battery", is often used to mean "to take a crash course".

Time's up!
Aah! I've had a good sleep.
Thunder God! Let's resume hostilties!
Can we begin our duel now?
Meeting with a forefather, duel to be postponed for 30 minutes.
A duel is a matter of life and death to a person. You shouldn't be so hasty...
Meeting with Duke Zhou.*
After a good sleep,one needs a good meal and an afternoon tea before deciding who's to go to Hell.

*Duke Zhou was the son of King Wen of Zhou Dynasty.It was mentioned in The Analects of Confucius that Confucius once dreamt of meeting Duke Zhou,so the Chinese often use "meeting Duke Zhou" to mean having a dream.

唐代传奇——雷公传

石，阴风惨惨，愁云惨雾缭绕，一直到天亮，风雨才停止。

余温，且在这仲夏里，尸体停放多日，居然也不会腐败，让大家都觉得十分怪异。又一天夜里，突然飞砂走

突然有传报：「制胜关使突然暴毙。」周宝吃了一惊，连忙派人前往察看，只见他气息全无，但胸口却仍有

周宝一听，马上改派制胜关使郑承符来代替孟远，并设香案把郑承符的名字题在名册上，祝告九娘子。

唐代传奇——雷公传

家人突然听到棺材里发出痛苦的呻吟声，急忙打开来看个究竟，没想到郑承符居然慢慢地苏醒过来，大家纷纷围着他，又悲又喜，问东问西，他休息了一会儿，才缓缓地把全部的经历说了出来：「那天夜里，我正在家里休息，突然有一个穿紫衣的人，登门造访说：『我家主人听说您有不世之才，故特地想请您出来教导我们，以对抗仇家。』于是我便被前呼后拥地来到一个类似官衙的地方，更衣下马准备去见九娘子。」

After a good sleep and a good meal,my boxing movements are so swift and forceful that no one is my match.
Moreover,I am fighting from a high position while you are on the ground;you are doomed to lose.
It's hard to say.
!
As I see it, our chances are 50-50. You can't predict the outcome now!

Sunzi says:… "Speed is what counts in war". Look at my 18 Interlocking Punches.
Bapp!
Bapp!
Then be ready for my 13 Vertical and Horizontal Kicks!
Bapp!
Bapp!
The way of winning is not in the movements.
A master settles the combat with only one thrust of the sword!

I have lost, totally lost...
There's no doubt about that.
I really cannot understand how a god could lose to a man?
Because the story was made up by a man!
It's only natural that a man sides with a man.
Being the loser, Thunder God,you have to let me kill you or cut you open.
Aren't you afraid that my siblings, Wind,Rain and Lightning,will join hands with me against you?
The best thing is for the four of you to come together!
I'd be able to seize all of you and cook a "soup of four gods"for myself!

唐代传奇——雷公传

「九娘子以宾主之礼招待我，并且很客气地说：『承蒙节度使大人厚恩，借调兵士拯救我们的危难，但因谋略不当，屡战皆败，所以这次特别请您来帮忙抵御强敌。难得您不加嫌弃，仗义来到这里。』于是又赐我两匹战马、三副黄金铠甲、无数的珍宝，最后又给我一道兵符。于是我便拜领出来，叫各将军指挥部队，号令一发，齐声响应。这天晚上，我带兵出巡，探子相继来报：『敌人声势浩大前来。』」

唐代传奇——雷公传

想脱围逃跑，结果被我生擒，用囚车把他载回九娘子处。」一声令下，埋伏的士兵纷纷涌出，四面夹攻，敌人溃不成军，战场上横尸遍野，战况真是十分惨烈。朝那君的胜战，相当轻敌，我先派出一支轻兵挑战，故意示弱来引诱他们，边打边退，敌军果然大举追来，这时我「由于我对当地十分熟悉，知道那里形势孤单，于是布置了三处埋伏，等待敌人的进击。敌人仗着前几次

...
Elders and fellow townsmen,come take a look! I have seized the Thunder God!
He's been enjoying our offerings and paying no heed to our welfare. How should we deal with him?
I have a good idea.
Tell me!
Let's fry him and turn him into crispy chicken!
...
Waw!
!

He's a bird.You shouldn't kill him!
It is legal to kill animals on land and to eat fish in the water ,but there is a law protecting the birds in the sky.
The law should be fair. Why does it allow killing animals and eating fishes yet treat birds so kindly?
Because we birds paid money to lobby for bird protection legislation

Though he has wings,he also has hands and feet. So he's not a bird. Of course we can eat him.
!
Having wings and also hands and feet makes me even more unkillable!
Because I am a rare species!
Look ! The law you made yourself stipulates that rare species should be protected!
All right! Since we cannot kill you, we'll spare you when you submit a statement of repentance.
Statement of repentance?No way ! Definitely no!
Why not ?If you write a statement of repentance,the problem between us will be settled peacefully.
Sorry! I really can't do it.
Because I've never learnt to read and write.

唐代传奇——雷公传

上。」

命是为了保贞节，现在若不听就不应该了！』于是命人把朝那君送回去，没想到他因羞愧过度，而死在半路兴，便对手下说：『朝那君荒唐的行为，原是我父亲所授意，现在我赦免他，也是我父王的命令，以前我抗那君的罪，其实是我的错，希望你能赦免他，以减轻我的罪过。』九娘子见父母亲又和她再通音讯，十分高

「九娘子下令把他押解到刑场腰斩。临刑前，突然看见一名使者骑着飞马而来，带着灵应君的诏令：『朝

唐代传奇——雷公传

勇猛，我恐怕早已成为阶下囚了。二位的大恩大德，小女子没齿难忘。』说完，以七宝盅盛酒赏赐给我。」

嫁，被放逐至此已三十多年，又遭到邻帮恶人的胁迫，性命几乎不保，若不是节度使大人的仁慈，郑关使的

第二天又安排了丰盛的酒席，席间，九娘子端起酒，十分悲切地说：『我是个薄命的人，年轻守寡不愿改

「我因克敌有功，不但被封为平难大将军，又以朔方一万三千户为食邑，更有房子、车马、珍宝等赏赐。

You can't write with your hand, but you can write with your foot.
How?
Just run 10 times tracing the two characters written on the ground!
I won't write with my hand or with my foot. I'll write with my wings...
SORRY
The word "sorry" is produced by Thunderbird stunt flying...

SORRY
Thunder God has escaped!
How can he run away like that without giving us any rain?
I have not run away! Since I have lost, I have to give you rain.
But I lost only to you. Other farmers are not involved!

Our prayer has been answered!
It's raining!
Bravo!
Hero Chen,you succeeded in getting rain for us . Now your name is known to every household.
Is that so?
I should make good use of my popularity.
I am seizing the chance to run for a seat in the Legislative Council at the end of the year,so that I can serve you again.
After that,wherever Chen Luanfeng went rain reached that place. Farmers' drought problems were solved.
He's really great. Should we address him reverently as Rain Uncle,Rain Teacher or Rain God?
I think we can just call him Rain Man,alias Drenched Chicken.
Wonderful!

唐代传奇——雷公传

「这时我忽然十分想家，于是恳切地提出我的请求，九娘子总算答应给我一个月的假期。第二天，我辞别了九娘子，循着原路回来。一路上，鸡叫、狗吠的声音不绝于耳，不由地我心酸了起来。不一会儿，到了家，看见家人围在一起哭泣，屋里挂着灵帐，于是我便向棺材走去，后来听到一声巨响，忽然我就醒了。」

自从郑承符复活后，就不再过问家计，只是一直交代身后事，一个月后，果真无疾而终。

唐代传奇——雷公传

在他暴毙之前，曾对他的妻子说：「我替朝廷出力多年，虽然谈不上什么建树，总还有几件小小的战功，自从遭到谗官毁谤，被贬到这里来，内心着实抑郁。大丈夫本该轰轰烈烈、叱咤风云，才不枉此生，也许这个机会就要来了，只是我和你分手的日子恐怕也不远了。」郑承符暴毙那天，传说有人看见他被几百个骑着马的武士簇拥着，他们来到善女湫旁，一下子，却什么都不见了。

Rain Man Chen Luanfeng brought rain to Mankind and specialised in water conservancy.
People living in the area south of the Yangtze River no longer prayed to Thunder God for rain.They prayed to Rain Man.
You are really going too far! You've usurped my position!
No,no.I am just your agent in the mundane world. I take only 20 per cent of the sacrifices offered to you.
Rain Man brought showers to drought afflicted areas ,so he was welcomed by the farmers...
Thank you for honouring us with your presence, Rain Man!
However, he was not successful every where...
!
Rain Man not permitted to enter this county
Sorry! Ours is a waterlogged area, so you are not welcomed.

SNAKE MASTER

唐代传奇：邓甲（蛇天师）

唐朝宝应年间，有一个叫邓甲的人，为求得仙术，四处寻访名师，一日终于达成心愿，拜茅山道士峭岩为师。峭岩是一个真正懂得法术的人，可以点石成金、用符咒召用鬼神。邓甲拜师非常诚恳用心，一点也不觉得累，甚至连晚上都不敢沉睡，白天更不敢赖床偷懒。

In olden days, people settled down in areas where there was water, so communities often formed in valleys. Therefore, the people were called "laymen"*.
Layman is a man in a valley.
But a small number of people lived on mountains, apart from others. Therefore, they were called "celestial beings".**
A celestial being is a man on a mountain.
Today I am going to tell a story about a layman and a celestial being.
The story about the layman is very simple. It simply involves daily necessities like firewood,rice,oil,salt, bean paste, vinegar and tea.
What a simple life...
Yet,life of a celestial being involves using a rock as a pillow,rinsing his mouth with spring water, eating the wind and drinking the dew.
Yeah,out of touch with material attractions of the world...
A celestial being has nothing to eat,so it's better to be a layman.

*The Chinese word for "valley" is 谷.By adding the radical 亻 that means "man" to 谷,the word becomes 俗.俗人 can be translated as "layman".

**By adding the radical 亻 meaning "man" to the Chinese word for "Mountain",the word becomes 仙.仙人 is a celestial being.

This story begins with a layman. During the reign of Baoli of Kang Dynasty, there was a woman called Pockmarked Lady.
The lady has a fair and smooth face, no pockmarks!
Thank you.
Thanks to the blessing of god, my pockmarks are not on my face but on my arm.
These are not pockmarks ;they are rashes.Her name should be changed to Rash Lady.

Actually, I am called Pockmarked Lady not because of the pockmarks on my body.
I was given the name because I like to consume something that is 麻.
You use marijuana. Is that it?
Rubbish!
I like Sichuan food, such as the Pockmark Lady's Beancurd and the Pepperish Hotpot.*

峭岩看在眼里，觉得非常感动。但是邓甲的天资似乎不足，这个法术也学不会，那个法术也不行。点石成金、符召鬼神更是不用说了。因此峭岩道士认为他和这两种法术没有缘分，不可强求。所以另外教他一种神奇的召蛇术，据说世界上只有他一个人会，经过数年的苦学，终于邓甲学成下山了。

*The terms 麻婆，麻子(pockmark),大麻(marijuana),麻辣(the taste of brown peopper and Chinese prickly ash) all have the word 麻.

又说：「一定要找到咬你的那条蛇，取它的毒液来治疗你，不然的话，你的脚就要砍掉。」
各地名医，也都束手无策，因此邓甲决定帮他医治。他先用符咒保住县令的心脉，痛楚马上就停止了。邓甲
邓甲行至乌江畔时，碰巧遇到会稽的县令，因为被蛇咬到，痛苦难当，哀嚎之声震惊四周的邻居，延请

I also count as a professional woman.
Men have 360 trades to choose from,but women can only be "three aunts and six grandmas" .That is to say a woman can only make a living through dishonest means.
Which three aunts and six grandmas?*
The three aunts are:nuns,Taoist nuns and priestesses.The six grandmas are yapo,woman trafficking in young girls;meipo, matchmaker;shipo,sorceress; qianpo,procuress;yaopo,female druggist; and wenpo, midwife.
What's your occupation then?
I am a midwife...
Though it's a pretty good occupation, what I really want to be is a fupo,a wealthy lady.
Though midwifery is not really a noble occupation...
... a widwife can be considered half a medical worker.
Not bad,indeed.I may need your help one of these days when there's something wrong with me.
I'm afraid you'll never have the chance.
A midwife assists in childbirth.I can't give you any help unless you are pregnant.

*The first three Chinese terms all have the word 姑 and the latter six all have the word 婆,so they are often lumped together and referred to as 三姑六婆.

Now I am going to introduce the husband of the Pockmarked Lady Deng Tiangan.
Hi!
There's a saying "The husband sings and the wife follows."How come you came on stage before I did?
The Tang Dynasty was a time when foreign things were worshipped.It is in conformity with Western etiquette that I appear before you do.
What etiquette?
Ladies first!
I used to be called Deng dizhi,that is Earthly Branches Deng.
Therefore,my four kids were named Deng Shu (Mouse), Deng Niu(Cattle), Deng Hu (tiger) and Deng Tu (Rabbit).
Our names don't sound good!
Then I changed my name to Deng Tiangan, that is Heavenly Stems Deng.
So,I changed my children's names to Deng Jia,Deng Yi,Deng Bing and Deng Ding(Deng A,B,C and D).
These are worse!

唐代传奇——雷公传

但是蛇类生人勿近，因此邓甲便走到数里外，在一片桑园林中开起了一个神坛，神坛广场约四丈长宽，用红色的布条将四边围住，准备召来附近的毒蛇。十里内的蛇群，不断地从四面八方涌来，堆积在神坛之上，大约有一丈多高，不知道有几万条。蛇群后方有四条大蛇，每条长约三丈，体围像水桶一般粗大，盘附在蛇堆上。

这个时候虽然是盛夏时节，但百余步附近的花草、树木全都变黄枯萎，可见毒气冲天一斑。邓甲光着脚，攀附神坛边缘，爬到蛇堆上面，用青色的藤条敲打那四条大蛇的脑袋说：「派遣你们做地方的霸主，掌管附近的蛇群，不得用毒伤人，愿意听从的就留下，不愿意的就叫它走。」

Deng Tiangan doted on his children...
Come here! Come here!
Ha, Ha, Ha,
My! They are sitting on his head! Really shocking!
They are doing right by their name, these worthy Deng boys.
What do you mean?
The left part of the word "Deng" is 登, which means "climb", and the radical on the right side means "ear". Doesn't it mean to climb to the ear?
Though the boys are named by the prosaic 甲乙丙丁，all of them are talented.
I am the knowledgeable champion.
I am the talkative champion.
I am the champion in asking questions.
I am first in resourcefulness.
Father Deng is a champion father.
Four sons bring honour to the family.
Mother Deng is of course a...
I'm in the family way again!
Champion in productivity!

The special talent of the eldest son,Deng Jia,was his vast knowledge.
Being knowledgeable means having plenty of information.
Can you prove it?
I sniff around...*
Mother is preparing good dishes like braised tofu,stir fried bamboo shoots and pickled vegetable soup!
A scholar does not leave his home,yet he knows everything happening in the world.That's the advantage of being knowledgeable.
But it costs a lot to be knowledgeable...
The Union Daily,The Minsheng Daily, Economic Daily, ..36 newspapers cost 360 wen.

语毕，邓甲纵身向后跳下，蛇堆顿时崩倒，大蛇先行，小蛇紧随在后，蛇群转眼间便走得精光。只剩下一条小蛇，体呈土色，约尺余长，不敢离开，邓甲于是叫县令过来，把脚放下，叫小蛇把毒收回，起初小蛇畏畏缩缩地面有难色，邓甲再出声吆喝，小蛇被吓得缩成几寸长，而且汗流浃背，不得已之下只好张开口，向县令的伤处吸吮出毒液。

*The Chinese word 闻 can mean 见闻,which means "knowledge" or "information". Usually when someone is 多闻 it means the person is knowledgeable.But 闻 itself as a verb means "to smell" or "to sniff".

县令突然觉得脑袋里面，好像有东西如针似的往下窜，小蛇跟着皮开肉绽化为一滩血水，只剩下一条白细的脊椎骨留在地上，县令的病痛也跟着好了，于是赠送许多金银财宝给邓甲作为厚礼。

那时有个叫维扬的人，常常玩蛇取乐，有时甚至千条，因为很有钱，故建有大宅第，他死了以后，他儿子想把宅院卖了，可是却对那些赶也赶不走的蛇群莫可奈何，于是重金礼聘邓甲，于是邓甲给了他一道符，结果那些蛇很快地全都跑出城外去了，大宅第也就顺利卖出。

Besides gaining more information and knowledge, ...
...plenty of smelling also ensures good health.
Sniff!
Sniff!
Sniff!
The bean curd in the Pockmarked Lady's dish has gone sour. It will upset your stomach.
He does have a sharp nose! I put in so much red peper and he can still smell it.

Second son Deng Yi was Number One in inquisitiveness.
Actually,I am only Number Two.The first place has to go to the ancient poet Qu Yuan.
Who made it known to later generations what the Universe was like the very beginning?
How can it be proved what the Universe was like before Heaven and Earth were separated?
Who can explain the chaotic situation without the distinction of night and day?
That's true.
He asked 172 questions in his poem *Questions for Heaven.* He was Number One in the world.

Knowledge* means "learn"and "ask" .You learn what you do not know and you ask what you do not understand!
Why do we learn?
You learn so that you know!
Why do we ask questions?
We ask questions so that we can understand!
Why do we want knowledge?
I'm unable to answer this question...
Number three son Deng Bing was Number One in resourcefulness.
Resourcefulness means having a good deal of wit and wisdom.
Can you prove it to the readers?
Sure.
Why are you taking off your clothes?
Didn't you want proof of my 痣 **?

The Chinese term for "knowledge" or "learning" is made up of the charaters "学" and "问" .Taken separately they mean "learn" and "ask" .

**The Chinese words 智 and 痣 are homonyms.The former means "wit" , "wisdom" and "intelligence" , while the latter means "a mole" .

邓甲后来到了溪梁县，时值春季，茶园里面向来就有毒蛇横行，人们都不敢进去采茶叶，因为被毒蛇咬死的已经有好几十个人，县境内的人们知道邓甲有召蛇的神术，因此赠与金银财宝、绫罗绸缎，延请他来为民众除害。邓甲于是开坛设法，调召此地的蛇王，结果有一条约丈余长的大蛇，体粗如人的大腿，体色呈锦色闪闪发亮到来，而且身后还跟着约万余条的蛇群。

这时大蛇单独攀登上神坛，要与邓甲一较高下。大蛇昂首而起，高约数尺，想要高过邓甲的头部。这时邓甲利用一根手杖，顶着他的帽子举起，高度胜过大蛇。结果大蛇因为不能高过邓甲所举起之帽，顿时化成一滩血水，尾随在后的蛇群跟着也都暴毙而亡。幸好如此，不然蛇首若高过邓甲的话，今天化为血水的将是邓甲而非大蛇了。从此以后，茶园之内再也没有毒蛇作怪了。邓甲后来归隐茅山研习道术，相传到今天依然存活。

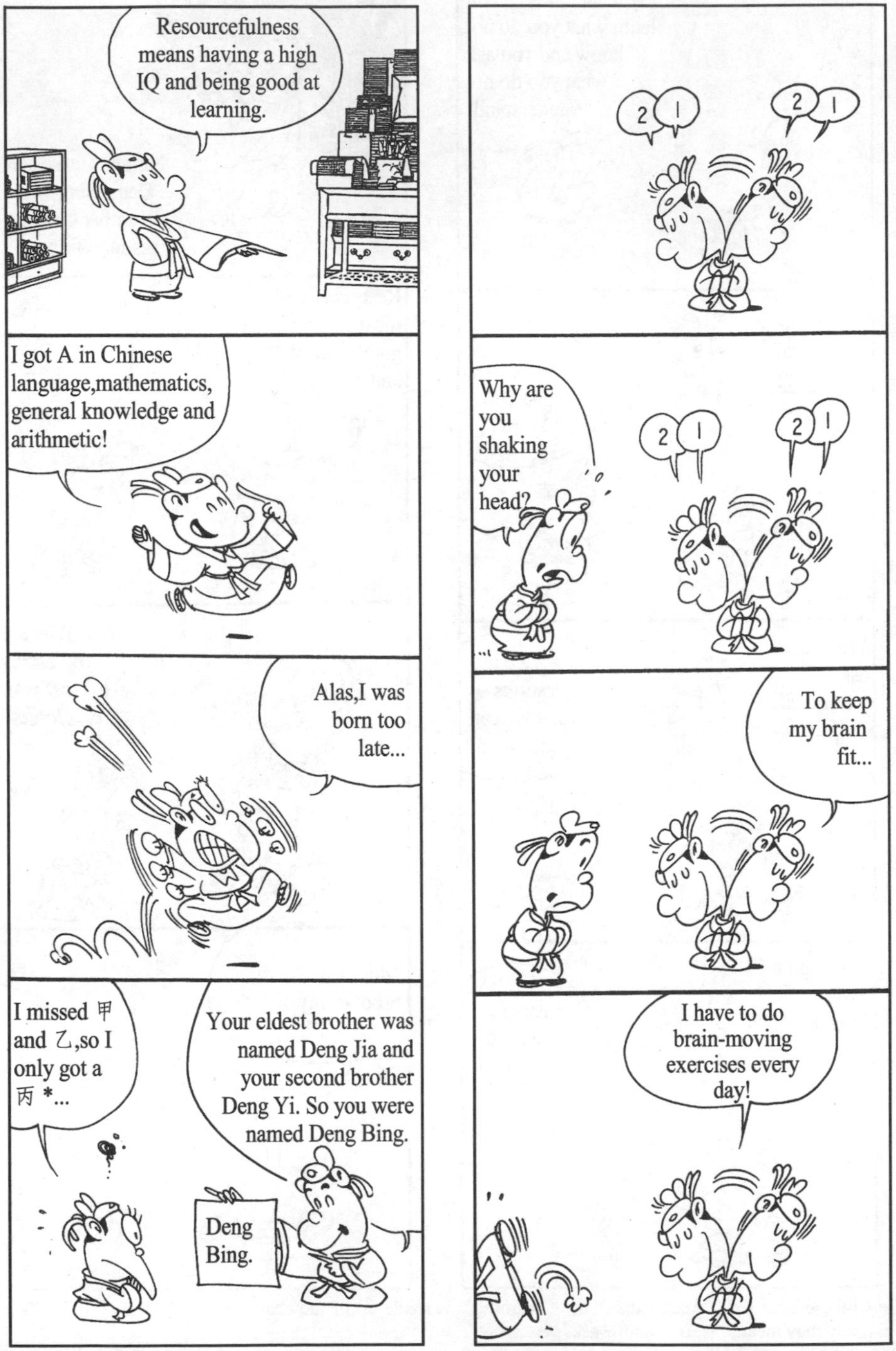
Resourcefulness means having a high IQ and being good at learning.
I got A in Chinese language,mathematics, general knowledge and arithmetic!
Alas,I was born too late...
I missed 甲 and 乙,so I only got a 丙 *...
Your eldest brother was named Deng Jia and your second brother Deng Yi. So you were named Deng Bing.
Deng Bing.
2 1
Why are you shaking your head?
2 1
To keep my brain fit...
I have to do brain-moving exercises every day!

*In the old days,the Chinese 甲，乙，丙 and 丁 were used for grades in the same way A,B,Cand D are used in most schools today.

Champion of resourcefulness has an IQ of 170.
Aborn idea man.
Versatile scholar with creative ideas!
Idea man!
You are really good at selfglorification!
Sorry,it's caused by my job...
Because I am starting a new job with an advertising agency as a creative director.
Fourth son Deng Ding's special talent was talkativeness.
Being talkative means good at speaking and having a famous mouth.
What's the use of having a mouth that is famous?
Sure it's useful.
A famous mouth can give speeches!

唐代传奇——雷公传

唐代传奇：古镜记

夜幕低垂，王度独自一人在书房里看书，自从罢官以来，他谢绝了所有的应酬，每天以读书自娱，日子倒也过得惬意愉快。有一天晚上吃过晚饭后，他便一头埋进书堆里。只是，不知怎么的，总觉得心绪不宁，于是他站起身来，打算走到院子里透透气。

唐代传奇——雷公传

就在这个时候，却看到自己以师礼待之的侯先生的家童气喘吁吁地闯了进来，慌慌张张说道：「不好了！不好了！我们家老爷快要不行了！他叫我来找您去，快！快！」

王度便戴上帽子，飞快地跟着侯先生的家童前去。

Learning martial arts needs frequent exercise.The tongue and lips of a famous mouth also need exercise.
Other people exercise their muscles.
2 1 2 1 2 1
I exercise my lithe tongue.
2 1 2 1
Silence is golden. Talking too much may not be a good thing.
Other people may get into trouble because they talk too much,but I gain by talking a lot.
My talking exercise has given me three tongues.
Waw!
Each of the three tongues has a different use.
One tongue for eating.
One tongue for kissing.
One tongue for speaking.

I hear that through exercise you have turned your tongue into a crane arm.Can you demonstrate?
Sure.
Target:3 o'clock positior over the East China Sea...
There!
Waw!
No flying object is allowed into my airspace.

Now that you have grown up and are taking over my property, I can retire.
Wonderful! We're going to divide up family property!
Dad is retiring. We're taking over his job.
We're getting our inheritance!
How much is each of us going to get?
Don't know.It takes a long time to compute such a large figure.
Each of us will get a share in a debt of 3,600 ounces.

唐代传奇——雷公传

当他赶抵侯家的时候，侯先生已经奄奄一息了。王度挨近床边，轻声唤着侯先生的名字，这时他才吃力地张开双眼，从怀里掏出一面镜子交给王度，说：「你总算来了！我没什么纪念物留给你，这面镜子非常宝贵，据说是镇邪的宝物，你把它带在身边，一切的妖魔鬼怪都没办法接近你。我已经不行了，把它留给你，你要好好保管！」

王度以极为悲哀的心情接过镜子，想着侯先生对待自己的点点滴滴，不禁流下泪来。过没几天，侯先生便去世了，王度也伤心地带着宝镜离开河东，返回长安。

在回长安途中，经过长乐坡，由于天色已暗，不方便赶路，王度只好在朋友程雄家中打扰一晚。程雄家中正巧来了一位新婢女叫鹦鹉，长相端庄美丽，她瞧见王度行囊中的宝镜后，吓了一跳，便向王度跪地求饶。

Look,this is a glass of water.I'll drink it in a single gulp.
If we pour four glasses of water together,no one can drink it in one gulp.
Therefore,you know what to do after you have divided our family property.
Yes,we do.
We should drink one glass of water,not four.
Dad is telling you the advantage of unity and cooperation.
Look! One chopstick breaks when it is bent.
Now we have four chopsticks here. What do you think will happen to them?
They will also break when they are bent.
...

*The Chinese terms for "orator", "politician" and "strategist" all end with the character 家, which when used by itself means "home".

王度受宠若惊，便找来程雄问个明白。程雄说：「我也不清楚。两个月以前有个陌生人，将这名病得不轻的姑娘托我照顾，并且说等他回来时，再来带她一起走。可是，那个陌生人却再也没出现过，所以，我真的不知道这丫环到底是什么来路。」王度开始怀疑鹦鹉是个妖怪，于是便趁着她不注意的时候，拿起宝镜对着她照过去。

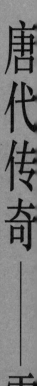

再变回原形不迟。」

王度听到她这么大声呼嚎，心一软，收回了镜子，说：「要我饶你一命可以，只要你先说明来历，然后形就是了。你不要用镜子照我了。」

鹦鹉被王度这突来的举动吓坏了，连忙喊道：「公子，饶命啊！我不是什么害人的妖怪！我立刻变回原

I, the champion of knowlege,will gain more knowledge as a traveller.
I, the champion of resourcefulness,can be a strategist and work as a staff adviser.
I,the speaking champion will be an orator preaching and expounding Buddhist teachings.
I am Number One in asking questions,so I am going to be a politi-cian.
A politician must work for the interest of the people.How can someone who asks questions be a politician?
Yes, he can.
I want to be a legislator, to concern myself with* state affairs.
Thanks to your cooperation,we have completed Act 1 — drama at home.
The second act is about how I travel in search of celestial beings. Now you can go backstage and take a rest.
Why should you play the lead?
The star should be chosen by vote!
So,the star was chosen at a higher level...
By reading the opening page of this story you'll know that I am the star in this drama.You people are just doing bit roles in the prologue.

*The Chinese word 问,meaning "ask",when combined with 政,means "to concern oneself with" or "be interested in" politics or state affairs.

Goodbye,Dad! Mom! I am setting out in search of celestial beings.
Wait, I have here 300 ounces of silver for you.
How can I carry such a heavy load on my trip?
Mom has given me this plastic money to cover my travel expenses.
VISA

Confucius says: "The son should not travel far when his parents are alive. When travelling he must have a goal."
My son! You must write often to let your mother know how you are.
It is too troublesome to write letters when I am on the road.
But I will keep in touch with this mobile phone.

唐代传奇——雷公传

鹦鹉一边哭一边说：「我原本是华山山神庙前那棵大松树下的千年老狐狸，因为经常扰乱山下百姓的生活，惹火了山神，便下令抓我治罪。我畏罪逃到下邽，被陈姓人家收为养女，且陈夫人视我如己出，后来义父看我年纪也不小了，于是把我嫁给同乡的柴华。可是，我和柴华一直处不来，生活并不愉快，所以我就趁机逃了出来。在途中被一名无赖抓住，胁迫我同他到处玩乐，就这样过了好几年。前些日子，他竟把我寄在此地，没想到却因此碰上了您和这面宝镜……」

王度听了以后，心中大为好奇，接着问道：「你变成人形和人共同生活，难道你不会害人吗？」鹦鹉回答说：「狐狸变成人形，和人一起过日子，并不会有什么坏处，因为我不会去害人。但是，狐狸变人，为神所不容，这种不守规矩的行为，如果被抓到了，只有死路一条。」王度起了同情心，表示愿意放她走。

Beng Jia's parents and brothers gave him farewell presents before he left.
His brothers gave him a set of new crayon pictures.
His father gave him a Walkman.
His mother gave him an expensive mini washing machine.
Goodbye, Son!
Mom and Dad, I am off to study Taoism!
My son,it is auspicious for you to travel towards the west,south or north,but do not go east!
What's wrong with the east?
Because it is unsafe in the East China Sea.

Goodbye, Mom and Dad!
Waw!
Your son is going away to find a teacher and learn a trade. He's not gone forever...
Waw!
We are parting for good. We shall never see each other again...
...because from now on my part in this play is finished...

A celestial being is a man on a mountain...
Becoming a celestial being is not a simple matter...
This mountain is my private property. You are forbidden to practise Taoism here.
First of all you must buy a mountain.

宝镜照过了，根本逃不掉，只希望你能达成我的心愿。」

王度机警地说：「如果我把镜子收起来，你岂不是要趁机溜掉了吗？」鹦鹉笑着回答：「你放心！我被此，我想请求你收起宝镜，让我在死之前大醉一场，那我就心满意足了。」

鹦鹉非常感激，说道：「谢谢你的好意，可是你那面镜子已经照到我的身上，我恐怕是劫数难逃了，因

于是，王度收起了宝镜，又特地为鹦鹉开了几桌酒席，并且邀请左右邻居一起来参加宴会。席间，鹦鹉高兴得跳起舞来，又一面唱着歌：「宝镜呀！宝镜！你要了我的命，自从我变成人形，跟了好几个人家，活着令人快乐，死了也没什么可悲的，又何必眷恋这个地方呢？」唱完，她对着王度行鞠恭礼，在众目睽睽之下，化作老狐狸而死去，在座者无不大惊失色。

*True Man as an official Taoist title is a man who has attained immortality. At the same time , in ordinary us a true man is just a true man.

**This is a form of self-address used by Taoist priests.

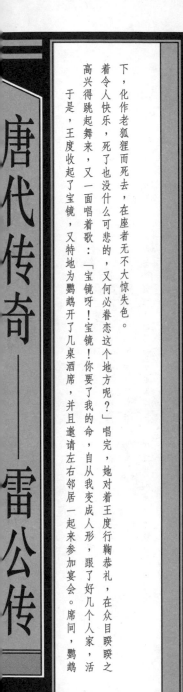

没多久，王度便到京城当官去了，有一天，正好碰上日全蚀，他本来是在办公厅旁的屋子里休息，属下来报说：「日蚀得非常厉害。」他突然想起宝镜，自言自语：「日蚀的时候，宝镜会不会独放异彩呢？」于是他急急忙忙穿好衣服，带着镜子走到户外，打开盒子一看，镜子也黯淡无光。他心想：「宝镜大概是配合着天地阴阳之妙来制作的，要不然这个时候，为何镜子也是黯淡无光呢？」

his is a parody of the Chinese saying: “To quench one’s thirst by gazing at a plum”.

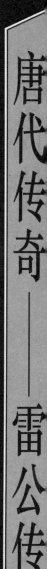

隔年正月初一大清早，有个和尚到王度家中化缘。王度的弟弟王勣觉得这个和尚相貌不凡、神采不俗，于是便邀他进到客厅来，请他吃些东西，顺便和他东拉西扯地聊了许多。

和尚突然问王勣：「你家中是不是有一面宝镜，能不能拿出来借贫僧瞧一瞧？」王勣一听吓了一跳，好奇问道：「师父，你怎么知道我家中有一面宝镜？」

The Immortal of Maoshan Mountain had achieved self-cultivation.He was successful in practising gongfu,whether the external or the internal way.
He was very skilful in each and every type of gongfu.
Light skill.
Qigong.
He was highly esteemed for his terrific skill as an amateur Peking opera singer.
Singing skill!

Since I have some free time, I will ride on a cloud to pick herbs on the mountain to replenish my medicine chest.
Come cloud!
Come cloud!
Since I have nothing else to do, I might as well take a nap to regain my vigour.

Aolai
of the
Dongsheng
Divine Land
Aolai
of the
Dongsheng
Divine Land
I have found a celestial mountain.I'm going to find a celestial being to be my teacher!
Sorry!I only accept monkeys as my students, not men.
I wonder if there are immortals living on this steep and imposing mountain?
Hey!
Hey!
Excuse me , are you an immortal?
Are you an immortal?
I rejoiced for nothing.It was just an echo!
Who says it's an echo?There is a real celestial being living here.

唐代传奇——雷公传

和尚解释说：「我曾经学过一些玄学秘术，对宝气相当敏锐。府上的屋顶经常出现一道青光和太阳相接；一道红光和月亮相连，这就是宝镜之气。我注意这两道光芒已经有两年之久了。今天特别挑选了好日子，想借宝镜一看，不知道行不行？」王勃爽快地答应了。和尚高兴极了，恭敬地接过宝镜，仔细端详。

唐代传奇——雷公传

和尚仔细看了又看，对王勣说：「这面镜子有好几种灵异之相，但是，至今一直未曾显现过。只要在宝镜上涂金膏，再用珠粉擦一擦，拿起来对着太阳照，反射出来的光芒可以照透墙壁。总之，这面镜子只要用金烟熏它，用玉水洗它，用金膏珠粉拭擦，就算是把它埋在地底下，也不会失去它原来的光泽」。王勣照着和尚的话去做，果然不假。

If you are really an immortal, you must be able to ferry me across to you.
Sure.
Sit on that and come up here.
Wah! Am I to ride on the cloud?
It's actually a cloud-shaped lift.
What are you here for ,young man?
I want to learn magic skills from you.
You are a spirited and energetic young man, and have admirable courage…
But what if I refuse you?
I will adopt the "Three No's" policy if I am rejected.
What "Three No's" policy?
One,no eating.Two, no sleeping.Three, kneeling here and no standing up to leave.
He's good...

While practising selfcultivation you'll have to eat the wind and drink the dew. Can you bear the hardship?
I don't mind simple food.
I have prepared instant noodles to last me a whole year.These are an offering to you.
Who wants to eat this stuff!
I meant eating European-style food and drinking genuine "Dew" from Korea.
The bill is going to be hefty…

How much is 37,600 plus 78,000 plus 63,280?
You must first pass an entrance examination.
That's easy!Two times five is ten … The total is 178,880.
37600
78000
+ 63280
178880
Correct! You've passed the exams.
The figure is your tuition and miscellaneous fees for one year.Now pay up!
Registration fee 37600
Tuition& miscellaneous fees 78000
Board & lodging 63280
Total 178880

隋大业九年秋天，王度被调到芮城当县令。县令办公厅前有一棵大枣树，据说凡是到此地上任的官吏，一定得前来拜谒此株百年老树，否则必定有灾难降临。

王度一上任，就有人劝他赶快去拜见大枣树，以求平安。王度却十分不以为然，说道：「这大枣树一定有妖怪，都是人助长了他的气焰。像这一类没道理的祭拜，我是不会去的。」

唐代传奇——雷公传

过去的老官吏深受其害，纷纷劝说王度。禁不住他们的苦苦哀求，王度只好勉强去拜了一次。但是他心里很不自在，如果树里有妖怪，应当将他除掉才对，怎么可以助长他的威风呢？于是，他找了一天偷偷把宝镜挂在树上，当天晚上只听见一阵雷鸣，王度起床看个究竟，发现大树四周雷光闪闪，雷雨交加，忽上忽下。到了天亮，看见一条伤痕累累的大蛇，死在树上。妖怪已死，王度便下令把树烧了，永绝后患。

The annual fees are about $ 170,000, much cheaper than American colleges...
Then why not pay your fees and register now?
Can I pay with a VISA card?
If you don't accept cash or credit card,...
...can I pay with this cheque?
Waw!

How old are you?
Twen-ty-three.
The Ministry of Education stipulates that children enter kindergarten at four, primary school at seven,junior high school at 13, senior high school at 16, and go to college at 19...
You are already 23. It's too late, too late...
What shall I do than?
Reverse the order and start with graduate studies!

May I ask how old you are, Master?
Thirty years ago I was 耆.Twenty years ago I was 耄 . The years ago I was 耋,and now I am 耄.
耄（mao）? How old is that?
耆 is 60.耄 is 70.耋 is 80,and 耄 is 90.
Waw! Really a man of great learning.

In my teaching I adopt the "Three Lots" policy.
Which three lots?
Lots of fees,…
…lots of homework,…
…and lots of rules.
My dad also taught me a "Three Lots" policy in learning.
Lots of knowledge,..
…lots of listening,…
…and asking lots of questions.

唐代传奇——雷公传

同年冬天，王度又被派到河北开粮仓，赈济灾民。原来当地闹饥荒，百姓们吃不饱、抵抗力弱，纷纷染上流行病。王度的手下张龙驹一家人也染上疾病，情况很糟，王度便带着宝镜去为他们治病，被宝镜照过后，他们的高烧全部退了下来，到了晚上，流行病竟然全都好了。王度心想：「这宝镜的用处真不少！既然能用来治病救人，我何不多做些善事？」于是，他就带着宝镜到各地视察，为百姓治病。

唐代传奇——雷公传

有一天清晨，张龙驹急急忙忙跑来找王度说：「大人，我昨天夜里做了一个梦，梦见一位龙头蛇身、戴红帽、穿紫衣的人对我说：『我是那面宝镜的精灵，名叫紫珍。前些日子曾救了你一家人，今日有事相求，麻烦你替我向先生赔罪，并且说是因为老百姓有罪，老天故意惩罚他们，再一个月左右，他们的病会日渐好转，请先生不要拿我来救治百姓的病，不要为难我！』」王度对灵镜的灵性是深信不疑的，便停止了治病救人的举动。

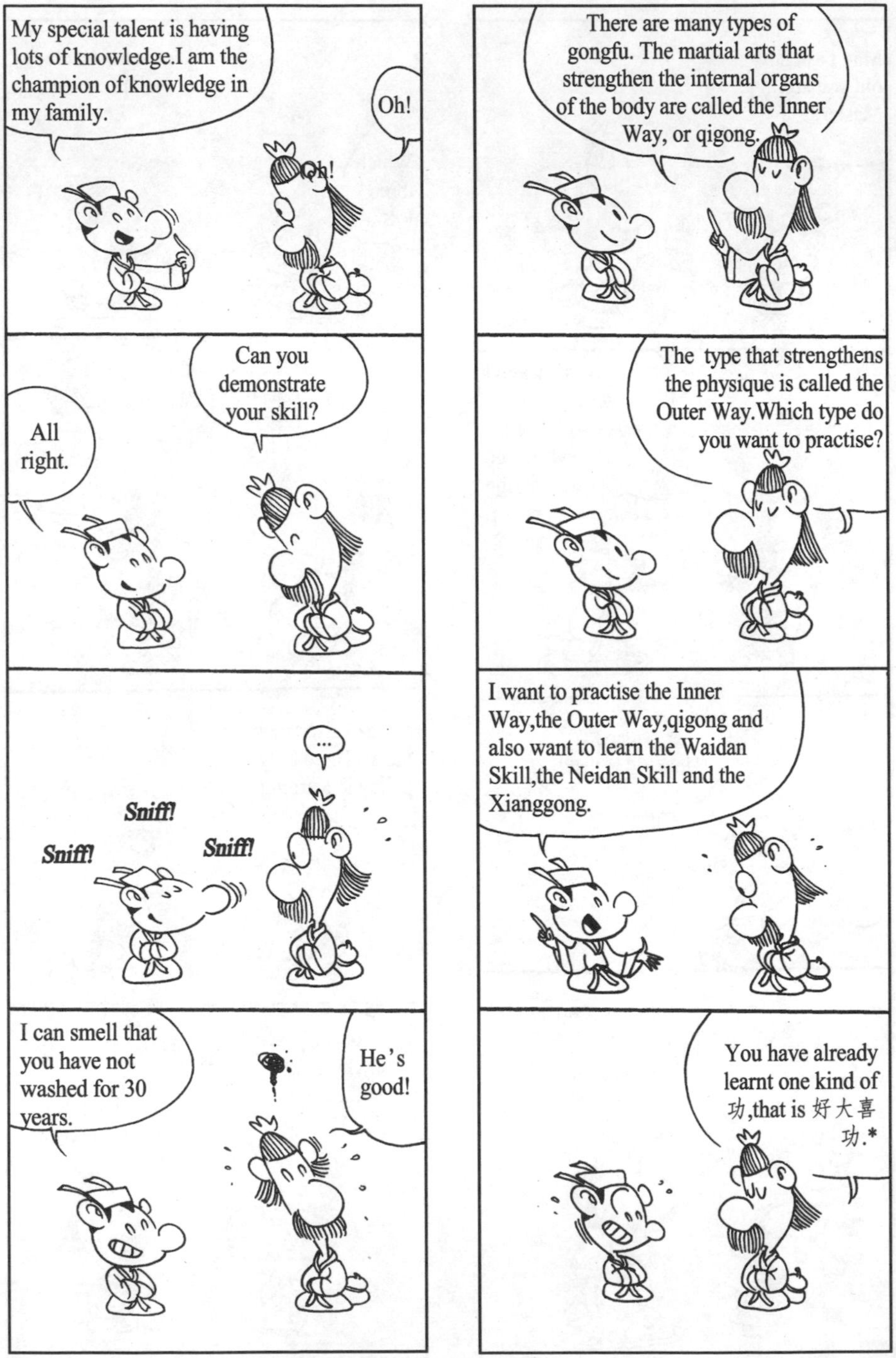
My special talent is having lots of knowledge.I am the champion of knowledge in my family.
Oh!
Oh!
Can you demonstrate your skill?
All right.
...
Sniff!
Sniff!
Sniff!
I can smell that you have not washed for 30 years.
He's good!
There are many types of gongfu. The martial arts that strengthen the internal organs of the body are called the Inner Way, or qigong.
The type that strengthens the physique is called the Outer Way.Which type do you want to practise?
I want to practise the Inner Way,the Outer Way,qigong and also want to learn the Waidan Skill,the Neidan Skill and the Xianggong.
You have already learnt one kind of 功,that is 好大喜功.*

*The basic meaning of the word 功 is "skill" or "achievement". When used in the context of martial arts, it refers to specific skills being practised. The phrase 好大喜功 has a derogatory connotation, meaning "have a fondness for the grandiose".

I am a poor cleric named Immortal of the Steep Cliff…
I am a poor cleric named Deng Jia…
…
Why do we refer to ourselves as "poor clerics"?
A poor cleric is of course an impoverished Taoist!
Quite right!
The difference between man,ghost and celestial being is that of yin and yang.
The ghost is purely *yin* without yang.A celestial being is yang without *yin*, while man touches on both yin and yang.
Therefore,to be a celestial being one must first of all give up relations with women.
Right.
I prefer to be a man who has harmonious relations with both yin and yang.

又过了一年，王勣辞官返乡。兄弟俩久别重逢格外高兴，王勣却想藉此机会四处游玩，征求兄长的同意后，王勣借了宝镜便离家了。

一日，王勣来到汴这个地方，听说张员外的女儿身染怪病，每天一到半夜就会在房子里呻吟起来，声音凄凉哀痛。王勣非常好奇，便前去张家打探消息，张员外也不知道怎么一回事，只说：「小女得怪病好久了，白天跟正常人一样，一到晚上便发病，我们全都束手无策。」

王勣说：「员外，今晚可否让我借住一宿，看个究竟，或许可以帮你们解决问题？」张员外当然求之不得，便安排他住到女儿隔壁房间。等到夜里，果然听见张小姐痛苦呻吟起来。王勣连忙拿起宝镜对着隔壁屋里照过去，只听见张小姐大叫：「戴冠郎被杀了！」大伙儿冲进去一看，屋里躺着一只死掉的大公鸡，原来是张府养了七八年的老公鸡作祟。

I am a poor cleric named Immortal of the Steep Cliff!
...
Master,here is 30 ounces of silver, my tuition for one semester.
Now the poor cleric is not poor any more...
Quite right.
I am a rich cleric named Immortal of the Steep Cliff!
Hee, hee!
Aiya! A mosquito!
Shoo!
You missed it.
I've stripped it of its lethal weapon.

Taoist skill is a skill to get rid of water.*
Practising martial arts requires self-cultivation,while to study Taoism you must first have the demeanour of a transcendent being.
You mean slimming?
But how long does it take to make my plump body slim?
Pure sunshine can reduce water.Just bask in the sun for a month.
Oh, my god!
Our lesson today is to sit quietly and meditate in order to start your awakening!
Yes, Master.
Awake!
Awake!
Awake!
Awake!
Master,I realised the true meaning of awakening!
What have you realised?
悟, awakening,is my heart**,so it means to awake my heart.

*The Chinese term for "Taoist skill"is 法术.The word 法 is made up of 去 plus the radical 氵,which means "water",去 when used as a verb means"rid of".

**The word 悟 is made up of 吾,that means "my" and the radical 忄 meaning "heart".

王勣又听说江南风光最宜人，便想到江南走走。没想到正要坐船渡江时，却遇上乌云密布、江水汹涌的坏天气。船夫大惊失色，不知如何是好。王勣带着宝镜上船，说：「船家，您不要着急，让我来试试。」他拿出镜子对着江面一照，说也奇怪，顿时风平浪静，江水清澈无比。船夫赶紧开船，过不了多久，船就抵达对岸。

虎豹，妖魔鬼怪，只要王勣举起宝镜，都吓得窜逃，无影无踪。

后来，他又到庐山去寻找道士，大概有几个月的时间吧！有时候住在森林里，有时候住在草原上，豺狼步之内明亮得像白天似的，再细小的东西也看得一清二楚。

过了江，他又到天台去。他大胆地到每个山谷洞穴里探索。夜晚山路漆黑，他把镜子悬在腰间，只见百

Eyes focus on nose. Nose focusses on heart.Then I reach the state of awakening.
悟 means awakening.The oppsite is asleep...
Asleep means "eyes are shut"!
I am in dreamland.

Awakening.
Awake.
Awake.
Awake.
Awake.
Awakening.
Dazed.

* 手印 are signs formed by the hand when Buddhists chant incantations.It also means "fingerprints"in the ordinary sense.

**These terms with special Taoist meanings form an incantation.

在这段时间里，王勣结识了一名隐士叫苏宾，他对《易经》颇有研究，而且能预知未来。他对王勣说：「天下的神物是不会久留人间的，现在天下乱成这个样子，恐怕快找不到一个安身立命的地方，趁着你的宝镜还在身边保护你，快快返回故乡去吧！」

王勣想了想，觉得他的话很有道理，便整理行囊，打算回故乡去。当晚，他突然梦见宝镜告诉他：「兄待我很礼遇，我不久就得离开人间，我想在走之前和令兄道别，请你快带我回长安！」

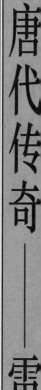

唐代传奇——雷公传

王勣在梦里答应了宝镜了请求。第二天醒来，他便即刻启程回长安。回家见到王度后，把此行的经过详实向哥哥报告，并且把梦中的事也转述一遍，说道：「我总算对宝镜有个交代了。只是，恐怕连您也无法再保有此镜了！」

果然，在大业十三年七月十五日，镜盒里传来些许凄凉的声音，待王度打开镜盒一看，宝镜早已不知去向了。

Blah,blah,blah,blah, four-eyed god,the golden boy brings a message*.
Making signs with your hand while chanting incantations is quite effective in granting wishes.
Does it really work?
Come,money. come,money. The first sign!
What sign is that?
Money sign.Please pay 500 yuan for the lesson on finger signs.
It does work!

Yaohuo.
Right Scissors
Demon-subduing Club.
Divine Tiger.
Little Tarzan!
!
Do Westerners understand these finger signs?
Ha!They are quite popular in the West!
An abusive x x sign.
F-sign...

*The terms with special Taoist meanings form an incantation.

Yaoyi.
Little Gold Tablet.
Left Thunder.
Right Scissors.
Mountain of Knives.
Tree of Swords.
Lock.
My fingers are locked together!

Have you mastered all the hand signs in the register?
I have learnt all the formulae in the register and all the popular hand signs.
This is the popular sign of praise.
Scorn.
Victory!
Terrific!

唐代传奇——雷公传

唐代传奇：定婚店

杜陵有个年轻人名叫韦固，很小父母就都过世了，一个人生活过得相当寂寞，因此想早些讨房媳妇做伴，但是多方求婚，都没有下落。一天，他闲居无事，便想到上清河去游览，路经宋城时，因天色已晚，就在当地找了间客栈休息。住店的客人，大家聚在一起聊天，有人知道韦固急于成家，便提议道：「前清河司马潘昉有个女儿，最近也在择配良家，我不妨替你跑一趟，如果事情成了，你可要好好谢我！」

唐代传奇——雷公传

韦固听了十分高兴，两人并约好隔天早上在龙兴寺碰头。韦固回房后，愈想愈兴奋，竟至彻夜难眠。天还没亮，他就起来了，斜月尚明，韦固就已经到达龙兴寺。夜凉如水，大地一片静寂，却见一个老人家倚坐台阶上，藉着月亮的光在看书。韦固好奇地走到老人身后，偷偷地看他在看些什么。奇怪的是，书中的字体既非虫篆、八分书、蝌蚪文字，也不是梵文。

Since you've learnt the hand signs, we'll have our examination.
yes, Master.
Ready?
Yes.
The scissors sign.
Fist.
You've passed.
Blue comes from the indigo plant, but is bluer than the plant itself...
Now I've mastered the hand signs and incantations, can I summon wind and rain?
You don't need the incantations. As long as you stick to your studies, two winds will always follow you.
I know.
The two winds are 春风得意 and 八面威风. I'll always be flushed with success and have an aura of awesome might.
No. It's 两袖清风, you'll remain poor and uncorrupted.*

*All three Chinese idioms have in them the word 风 that means "wind".

Blah,blah, blah,blah.
Come, wind!
You're too young to summon wind.When you get older,the wind will be at your heels.
What wind?
Apoplexy and gout.*
Blah,blah, blah,blah.
Come, Wind!
Come, Wind!
The wind has come!
There's no wind...
It is on my face.
I am 满面春风, beaming with satisfaction!

他心里觉得十分奇怪，便开口问老人家：「老丈，您看的这是什么书？我从小苦学不休，世间的文字，自信没有不认得的，可是您手中的这本书，却是我看也没看过的文字，这是怎么一回事？」老人笑答：「这是部阴间的书，你当然没看过啰！」韦固半信半疑，又追问：「幽冥中人，为何来此？」老人不禁又笑答：「凡冥间的官吏都是执掌人间的事务，难道执掌者不能来人间走走吗？」

*The Chinese words for "apoplexy" and "gout" 中风 and 痛风 both include the character 风 which when used alone means "wind".

韦固愈听愈感到兴趣，也愈好奇：「既然如此，那老人家您负责掌管哪一部分呢？」老人回答：「我乃掌管天下人的婚姻大事。」韦固因正为婚事着急，因此便急忙问道：「最近有人跟我提起潘司马的女儿，依您看，这桩婚事成得了吗？」老人答：「不成，命中注定不合、无法强求。更何况你未来的妻子，是郡守的女儿，今年才三岁，要等她十七岁时，才会进你家的门。」韦固一听，还要等上十四年，不免觉得泄气。

*The Chinese verb used with rain is 下,which,when used independently,means "below"or"under".

韦固眼睛一转，又看到老人家身旁有一个布囊，便开口问道：「您这里面装些什么？」「是一些用来系住夫妻的脚的红绳子，自从他们一出生，我就偷偷地把他们的双脚系在一块，终生不可脱逃。你的脚早已和方才我说的那位女孩系在一起了。」「可不可以请你告诉我，我未来的妻子现在何处？」老人举手一指：「她就住在那个小店的北方，是卖菜婆婆的女儿。」「我可以见到她吗？」「你跟我来，我指给你看。」

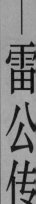

天已稍亮，而昨天在旅店中和他相约之人又一直没有出现，又见老人收拾起书本、扛起布囊要走了。韦固再也顾不得和别人的约定，便也匆匆忙忙地尾随着老人家，来到了菜市场。远远地，他看见一个瞎了一只眼睛的老太婆，手里抱着一个三岁的小女孩走了过来，老人家指着老太婆手里的小女孩，说：「她就是你的妻子。」韦固见小女孩长得丑陋，又是一个瞎眼老太婆的女儿，心中甚是不悦。

Today I'm going to teach you a new skill.
Yes Master.
Take out all the silver on you.
Am I to pay for tuition again?
You feel lighthearted and happy when you have no silver on you.*
Today we are going to learn the light skill.
It is difficult for an old man to learn the light skill.
Because old men are 稳重(steady),.庄重(serious),德高望重(of noble character and command universal respect). Everything about him is 重(heavy)
True.
It's easy for a young man to learn the light skill.
How so?
Because he is 年轻(young), 轻率(indiscreet)and 轻浮(frivolous).Everything about him is 轻(light).

*This is a parody of the popular Chinese saying 无官一身轻,that means "happy is the man who is relieved of his official duties".

To master the light skill,you must abide by the Confucian rules of etiquette.
How?
When there's work to do, the pupil does it. When there is wine and food,the teacher has them.
What does that have to do with light skill?
When one works without eating his body becomes light .It'll be easy for him to master the light skill.

To learn light skill,you must first exercise your feet and make your footsteps light.
OK.
To make your footsteps light,you need to have weight exercise on your head.
Light skill is a skill of the feet. What does it have to do with the weight on the head?
Because when your head is heavy,your feet become light.You're top-heavy.

唐代传奇——雷公传

韦固愈想愈生气，便问：「可不可以把她给杀了？」「这个人命中注定要长命百岁，享尽荣华富贵，将来还是你的老婆呢，怎么可以把她杀了？」话才说完，老人家突然也跟着不见了。这时韦固心里着实不痛快，骂道：「这老家伙根本就是胡言乱语，再怎么说，我也是堂堂一个士大夫家的子弟，娶妻总该请求门当户对。即便是不能如愿，至少也可以娶个年轻貌美的歌妓，又怎么会去娶一个瞎眼老太婆的丑陋女儿呢？」

但是他心里总还是有些疙瘩，于是他磨了一把小刀，交给一位奴仆说：「如果你能替我杀掉那个女孩，我就赏你钱财万贯。」奴仆被赏金所诱惑，第二天，便暗藏着凶器到菜市场去，在大庭广众之下狠狠地刺了小女孩一刀，然后急急忙忙地逃走了。菜市场里的人，见有人当场行凶，纷纷联合起来捉拿凶手，幸好韦固的奴仆跑得快，才没有被捉住，否则一场杀人的官司就吃定了。

The light skill makes you as light as a swallow.You can tread on a cloud as if standing on the ground.
I cannot tread on a floating cloud as if standing on the ground,but I can stand on the ground as if it's a void.
How can you do that?
Hee!
I do the Moonwalk like Michael Jackson.
Today we are starting a new lesson,qigong!
Fees for learning qigong are higher.
You ask for payment before you start to teach?
Prepaid tuition will help relieve the slump* of my purse.
But what I get is empty air.

*The Chinese for “slump”不景气 includes the character 气 as in 气功“qigong”.

*The Chinese word 气 means "air","gas","odour"as well as "breath": hence it is used in different senses in the following dialogue.

唐代传奇——雷公传

惊魂甫定，韦固连忙问道：「刺中了没有？」奴仆说：「本来打算刺向她的心脏，不料一时慌乱，却刺中眉间。」这样一场风波，渐渐随时间淡逝而慢慢平息了下来。后来韦固依然四处求婚，却还是始终都没有结果。时间过得很快，十四年过去了，话说韦固因受到父亲的余荫，官拜相州的参军，刺史王泰要他专门负责审问囚犯，因为表现十分良好，因此刺史决定把女儿嫁给他。

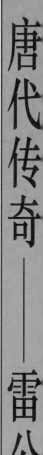

王泰的女儿年方十七，容貌十分美丽，韦固对她可以说是十分满意。唯一奇怪的是，在她的眉间，经常装饰着一片花子，就算是洗澡时或是睡觉时，也都不曾卸下装饰。就这样子过了一年多，韦固突然想起以前曾雇用奴仆去刺杀一小女孩的事，甚为讶异，于是问妻子：「你的眉间怎么了，为何老贴着花子？」他的妻子哭泣地回答：「其实我并不是郡守的女儿，而是他的侄女儿。」

Man has *qi* as soon as he enters this world,but there is good *qi* and bad *qi*.
Bad qi are 闷气（sulk）,赌气(pique),喘气(gasp)and 叹气(sigh).
The good *qi* are 骨气（integrity）,客气(politeness),福气(good fortune),才气(talent),豪气(heroic spirit)and 正气(righteousness).
From which *qigong* classic did you learn that?
...
I learnt all these terms from the Chinese dictionary.

Not only humans have qi,everything in the Universe also has qi.
Today,Heaven, Earth and Man are all 气不顺（in a bad mood）.
There is 雾气（mist）in the sky and 湿气(dampness)on the ground.
And I am 生闷气(sulking)today,so we are having the day off.

Confucians observe a person by looking at his eyes.Taoists observe a person by focussing on his *qi*.
Qi also shows a person's character.
Of course.
For instance I am 老气横秋 (lacking in youthful vigour) but have 英雄豪气(heroic spirit).
And you are 怪里怪气 (eccentric) and 孩子气 (childish).

Besides keeping you in good health,*qi*gong has numerous other uses.
Blah,blah, blah,heat!
Ya!
Feel the effect of qigong?
Hoo!
Hoo!
It's done me a lot of good.Thank you.
You emitted heat and I enjoyed heating free of charge.

唐代传奇——雷公传

「我父亲曾经做宋城的郡守，但在任上时病逝。那时妾身还在襁褓之中，母亲和哥哥又相继过世，只剩下我和乳母陈氏，在宋城南边的一间小屋相依为命。一切全靠乳母卖菜来过日子，乳母因我年纪尚小怜惜有加，从不忍心一时一刻的分离。在我三岁时，在菜市场突然遭到狂贼刺伤眉心，至今刀痕尚在，故用花子来掩盖。七八前，随叔父到卢龙上任，才得以女儿的名义将我许配给你。」

唐代传奇——雷公传

韦固大吃一惊，十四年前，老人家所说的预言果然应验了！「乳母可是瞎了一眼？」「是啊！你怎么会知道？」「派人去行刺你的，正是我啊！」多奇妙啊！他这才向妻子和盘托出十四年前所经历的往事，从此二人更加相敬。后生一男，官拜雁门太守，其母受封为太原郡太夫人，到这时，才知冥冥中注定的事，是永远无法改变的。宋城太守为纪念此事，因此把这个小店题名为「定婚店」。

Qigong does one a lot of good.It makes one feel rejuvenated and increases one's stamina.
Heyho!
A centenarian like me is still full of vigour and can lift weights as if they are feathers.
Very much so!
While someone like you who have not mastered *qigong* are spiritless though young...
What's going to happen to me?
You'll suffer from geriatric dementia when you are still young.
...
I am going to show you how I emit heat.*
Hoo,ha!
No heat has come out.Let me give you a hand.
Why did you hit me?
To help you emit *qi*.

*When a person is practising *qigong* he emits heat or *qi* from his body,which is called 发功.The qi from his body is supposed to have an effect on a target person and help cure that person's illness. The word 功 also means "skill",hence the pun in the following conversation.

Let me do it.Ya!
I walk on without fear!
What kind of skill is that?
Singing skill!

Try it again!
Hey ya!
Yes, Master.
Can't help it.I can't emit any *qi* at all.
I guess I have to give you a bit of help.
How?
Pump in artificial *qi* !

唐代传奇：枕中记

在唐玄宗开元年间，有一个叫吕老头的道士，颇懂得一些神仙的法术。有一次，他在要到邯郸的路上，因为走累了，就找了间旅店休息，一进旅店，脱下帽子，解松衣带，便坐下来靠着行囊闭目养神休息。没过多久，旅店进来了一个年轻人，身穿粗布短衫，跟吕老头同桌休息。见老先生正闭目养神，便搭讪着说：「老先生赶远路啊？」老头儿回答：「嗯！你呢？」二人便有一搭、没一搭地聊开了。

说着说着，忽见年轻人长叹起来：「瞧我这身落魄样，大丈夫生不逢时，竟然落魄到这种地步！」
吕老头惊讶道：「年轻人，我看你身强体壮，没有丝毫病痛，刚才还聊得这么开心，怎么没一会儿便叹起气来呢？」

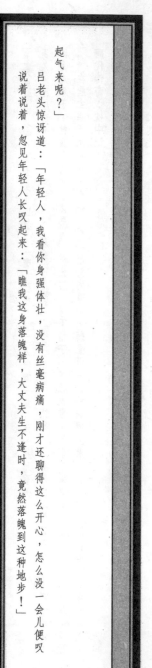

You lack the intelligence to master the art of transformation. I think you'd better switch to the study of animal control.
Failling to be a magician, I think it's not bad to be an animal trainer. Where do we begin?
Lesson One: Mixing with animals!
Waw!
Roar!

There are thousands of animals in the world. Which kind do you intend to train?
Chinese people have always worshipped the dragon. I will be a dragon trainer.
Not bad, this boy is quite ambitious …
But I'm afraid your charge is too big for you.

年轻人答道：「读书人应该求得功名，出将入相，使家族日益昌隆，家财愈发丰富。像我早年立志求学，以便求取功名，没想到现将步入壮年，却空有满腹经纶，依然两袖清风，为农事奔波，这等落魄样，怎不教人感叹！」愈讲愈觉得人生无趣，索性找了张床，躺下来休息。这时只见吕老头从行囊里取出一个枕头，递给年轻人：「枕着它睡，这枕头会让你的愿望实现。」

唐代传奇——雷公传

那枕头是青瓷制成的，两端均有孔，当年轻人低头靠近枕头，忽见那孔渐渐地扩大起来，不知不觉纵身进去，竟然回到自己的家中，没多久以后，他娶了清河大族崔家的小姐，崔小姐不但秀外慧中，而且带来了一大笔丰富的嫁妆。第二年，进士及第，当了秘阁校理的官，后来又应皇上的考试，晋升渭南尉；不久又官拜监察御史，接着又调任起居舍人，专门替皇上掌管文件。从此跻身于上流社会之中，结束了平民的生活。

*The Chinese word 虫 means "insect" or "worm".A "learned man" in Chinese is 文人，so a "learned insect" is 文虫，which is pronounced the same as 蚊虫 -mosquito.

**The Chinese for "dental caries" is 蛀牙.The word 蛀 is often associated with insects.

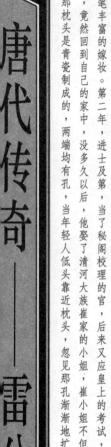

Beside individuals, many provinces are associated with insects too.
For instance,you are from Sichuan.I am from Fujian.Both provinces are associated with insects or worms.
What do you mean?
Sichuan is also called 蜀. It is a silkworm!
Fujian is also called 闽.In fujian every family keeps a snake to mind the house, that's why it is called 闽.
In order to learn insect-training skill, you must study the nature of insects.
From now on you must eat food that contains the radical 虫.
I'm not a barbarian; how can I eat insects or worms?
Civilised people eat them every day.
Mm, delicious!
Clams, shrimps, crabs,snails, frogs*...

唐代传奇——雷公传

官运亨通、连连升迁，三年之后出任同州刺史，跟着又调任陕州刺史。在担任陕州刺史期间，他很热心地开辟地方，凿了一条八十里长的运河，便利交通，受到地方人士的尊敬，刻石表功。这一年，唐玄宗在边疆和戎狄开战，没料到战况失利，不但吐番攻下了瓜沙，而且节度使也被杀，使得黄河、黄水流域一带居民大为惊慌，玄宗紧急召集有才能的人去扭转战局。

*The Chinese words for these are 蚌，蛤，蚬，虾，蟹，螺 and 蛙，all with the radical 虫 that means "worm".

于是命令他担任御史中丞，为河西节度使，率领军队展开大反攻。果然不负众望，他不但一举大破敌军，斩首七千、拓地九百里，而且还建筑了三座大城来保卫要塞。边疆地区的居民对他大为感激，并且在居延山立了石碑，以称颂他的功绩。回到朝廷以后，皇帝大加赏赐，升他做吏部侍郎，最后又晋升为户部尚书兼御史大夫，不但名声相当好，而且又十分得人望。

This is a century-old insect-controlling magic flute.I give it to you.
When insect hear the flute they will come out...
Insects have indeed come out —the insects that have lived in the flute for 100 years.

I'll demonstrate how to attract insects by playing the flute!
Wind
The word for "wind" in old Chinese script is classified under the radical 虫.
What does wind have to do with insect or worm?
Nothing.But take one stroke from it and it becomes an insect!
虱—the louse.

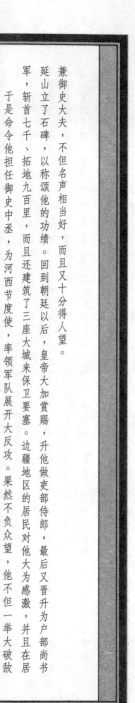

I blow one note on the flute,one worm comes.
蟲*
蟲
Blow three notes on the flute,three worms come.
蟲
No,three worms become a crowd...
Perfectly right! Look how many worms have come!
Waw!
I play my flute towards the sky, it attracts many mosquitoes and other insects...
I play it towards the ground,it attracts ants and mole crickets...
I play it to a man,...
...it'll attract 瞌睡虫 **

*This is the original complex form of the word now simplified as 虫.
**A 瞌睡虫 is a sleep-inducing insect.It is also used to mean a person who is always sleepy.

唐代传奇——雷公传

当时的宰相很嫉妒他，所以故意造谣中伤，于是他被贬到偏远的端州去做刺史。三年之后，皇上又把他召回来，不久就做了宰相，和侍中裴光庭、中书令萧嵩共同执政十余年。皇上相当看重他，时常和他商讨国家机密大事，他也经常对政治上应改革的事提出中肯的意见，在当时有「贤相」之称。嫉妒他的同僚又造谣，说他和边疆武将有所勾结，将要图谋不轨，结果皇上不察是非，竟下令命钦差带着手下到家中捉拿，逮捕他下狱。

他又惶恐又害怕，灰心地对妻子说：「山东老家有五顷良田，足够我们穿衣吃饭，何苦求什么功名利禄？事到如今，再想穿着粗布衣服、骑着青色马，在邯郸道路上悠闲漫步也不可能了。」说着说着，便要拔刀自刎，幸好妻子上前抢救，并苦苦哀求，总算打消他自杀的念头。牵连上这件案子的有上百人，只有他因为朝中官员作保，充军到南疆的驩州，其他的人都判了死刑。

When bass is played on the flute,it attracts small worms.
When I play a high note,it attracts a big worm.*
Gruuu
Whaw!It has attracted a tiger,not a big worm.
Roar!
I'm not mistaken.It is a tiger.Tigers are also called 母大虫.
Hee, hee, hee!
There's no need to play the flute.You can get worms to come by using finger signs or incantation.
Hocus pocus!
Hocus pocus!
Om mani padme hum!
Om mani padme hum!
It's coming!
What's coming?
You—a copycat*!
!

*The literal translation of 大虫 is "big worm", but the Chinese term usually refers to a tiger.

**A person who apes someone else is jocularly called a 跟屁虫 in Chinese.

几年之后，皇上知道他是冤枉的，又召他回来，命他做中书令，封为燕国公，对他恩宠有加。他曾两次被贬到荒僻的边疆地带，却又再度登上高位，历任要职，官高爵显，前后五十年。有生之年他的性格奢侈放荡，又喜欢寻欢作乐，后庭中的歌舞声色等玩意儿，都是当代中最出色的，前前后后所获皇上的赏赐，如良田、屋宇、佳人、名马等，数都数不清。

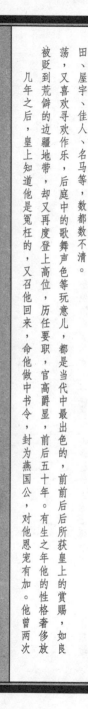

他年纪渐渐老迈，屡次上表朝廷请求退休，都没有获准。最后得了重病，皇上除了派人来探望以外，更是派最有名的医生，运用最上等的药材来给他治病。毕竟人不能胜天，临终时，他上疏皇上：「我本山东地方一个种田的穷书生，承蒙皇上垂恩，让我担当朝廷要职，臣下虽全力以赴，却无贡献，实在十分惭愧，老臣精力骤衰，再也不能报答皇上的深恩厚德。谨奉上此表，以表明老臣衷心的感谢。」

Does the magic flute only attract these tiny insects and worms?
When you play short notes,short worms will come...
And when I play long notes, long worms will come?
Quite right.
Snake!

In ancient times people lived in thatched huts.There were lots of snakes in and around their homes.
At that time snakes were called 它 (pronounced “tuo”or “she”).People greeted each other by asking “Are there snakes?”
How strange!
Not strange at all. 它 is an ideogram.
But it doesn’t resemble a snake!
Stretch it out then it looks exactly like a snake.
Waw!

皇上也下了道诏书说：「这么多年来，国家升平、百姓和乐，全依赖你的辅佐，听说你病了，朕派人来探望，更派有名的医生为你治病，送上高贵的药材，原以为不久你的病就会痊愈，没想到病势如此沉重，真是让我忧心。现在我派骠骑大将军高力士到府上问候，希望你好好休养，为国珍重。但愿你的病体，不久就能够康复，再为国家效忠。」可惜诏书到的那晚，他就死了。

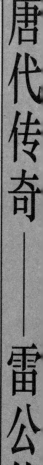

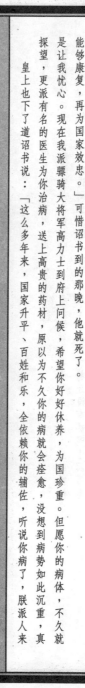

这时，年轻人伸了个懒腰，醒了过来，发现自己竟然还睡在旅店里，头下垫着的正是吕老头借给他的瓷枕。四周的景物和他先前进到旅店时一样，旅店主人蒸的饭都还没有热呢！而吕老头就坐在他旁边。年轻人一跃而起地说道：「难道我是在做梦吗？」吕老头这时点头微笑道：「人生的畅快得意，也不过像一场梦罢了。年轻人你又何必因为生不逢时，而自怜自艾？」

Some snakes are poisonous and some are not. Those with triangular heads and colourful skin are poisonous.
Which snake is the most poisonous ?
The one that speaks.
...
Can this stupid-looking blockhead learn to subdue snakes?
You are quite right— this snake is the most poisonous.Its words are really venomous!
Man like to distinguish the good from the bad.White is pure and black is evil.
White snakes are good snakes and black snakes are bad snakes.
And snakes with black-and -white bodies are both good and bad?
That's right.
When it bites it is bad,but when it is eaten by people it is good.

年轻人愣在那里，半天也说不出话来。过了一会儿，才惆怅不已地向吕老头儿道谢说：「所有的宠辱得失、穷困亨通的机运，有如南柯一梦，我已经完全明白了。这是您用来窒塞欲望的方法，我怎么敢不接受您老人家的教训呢！」说罢，对吕老头磕头，拜了两拜，即飘然而去了。

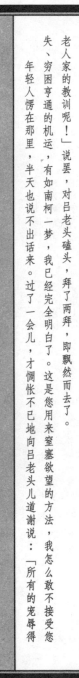

唐代传奇——雷公传

唐代传奇：胡媚儿

在扬州的街上有一个乞丐，没有人知道他是从哪里来的，只知道大家都叫他胡媚儿，他总爱做些奇奇怪怪、带有几分神秘的怪事情。他常在街上要起他的一些玩意儿，趁着吸引一大堆观众的时候，便向那些在驻足围观的路人讨些赏钱，情况好的时候，一天的收入有千万贯之多。有一次，胡媚儿又在大街上要开了，在众人面前从怀里取出一个小玻璃瓶。

Om mani padme hum.All snakes come to pay homage!
Huh?Not a single one...
We need a snake that is shedding its skin as a guide.
Free Skin-shedding Show
good result! Wave upon wave of snakes have come.

In order to know the nature of snakes you should live with them for a long time.
I know you want to test my courage.
Not to test your courage,but to test your nose.
I want to see if you can stand the awful stench of snakes.

A few days later...
Two weeks later...
Congratulations! You've spent two weeks among 1,000 snakes.
You're congratulating me on my not having been bitten by a snake?
I'm congratulating you on breaking the world record of longest duration a man has spent amongst snakes.
You must have made a thorough study of the nature of snakes.
Of course.
Now tell me the scientific name of each kind of snake and its characteristics.
Yes,Master.
This one is called Green Snake.That one is Little Flower. The one over there is Big One.I know only the first name of each snake.They did not tell me their last names.*

*The words 性"nature"and 姓"last name" have the samp pronunciation.

瓶子的大小约可容纳半升水，它的颜色是里外透明，胡媚儿把这小瓶子摆在脚前的席子上，便开口对围观的路人说道：「如果有哪位肯施舍的朋友，请把这瓶子装满，小老儿就心满意足了。」众人一看，那个小瓶子的口径，看起来只有芦苇杆子那样般细的大小，什么东西也放不进去，于是都笑了起来说：「那小瓶子的瓶口这么细小，怎么放得进钱？」

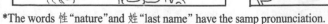

这时胡媚儿歪一歪脑袋瓜子，开玩笑地说道：「各位官人如果认为不可能的话，不妨亲手试试如何？」
于是一旁有人拿了一百枚钱币交给胡媚儿。胡媚儿一接过手来便叮叮咚咚地，把这一百枚钱币全都投进小瓶子里，那些钱隔着玻璃望去，一枚枚的却都像颗颗粟米一样大，围观的人们看见了，都惊讶得不得了，认为那是多么地不可思议呀！

Listen gods and ghosts in Heaven and on Earth!Deng Jia,a native of Sichuan, has completed his study of Taoism on Maoshan Mountain.I hereby bestow on him the title of Master!
Congratulations,Mr Deng! You've completed your study and earned the title of Master.
Thank you.
Master, may I ask what is the meaning of Master?
A master prays on behalf of others for rain, to ward off adversity and to dispel bad luck.
After three years' hard work,I have graduated and become Master Deng,one with a title of "shi"!*
From now on my status equals that of doctors and lawyers. I'm in the high-income class.
Not all people with "shi" in their titles are highly paid!
The duty of a master is to transmit wisdom and do good for society. Like teachers,clergymen and priests, masters are paid very little.

*The Chinese word 师(pronounced"shi")is used in titles like doctors 医师,lawyers 律师，teachers 老师,clergymen 牧师,priests 法师,etc.

From now on you are the 27th-generation inheritor of Maoshan. I pass on my mantle to you.
Here are the Flag of Five-thunder Snake Command,Snake-thrashing Whip,Spirit-calling Pennant,Life-reviving Pill,...
I have transferred to you one by one all the treasures of Maoshan.
Thank you,Master, for you generosity...
Can you also transfer to me the ownership of this mountain?

Master,your pupil is now leaving the mountain to wander in the world. Is there anything you'd like me to do for you there?
If you have the opportunity,please get me a few longevity pills.
That's easy,as long as you have money.
This is an anti-aging placental essence made in Switzerland.Each shot costs 8,000yuan.

又有人拿出一千枚钱币来，要胡媚儿把钱币投到瓶子里，结果跟先前一样。又有人拿出一万枚钱币给胡媚儿去投，可是结果仍然没变。人群之中开始起了骚动，硬是有些好事之徒，偏偏不服气也不信邪，有人拿出十万钱币，更有人拿出二十万枚钱币，大伙试着要把那小瓶子装满，可是结果都一样。甚至有人把自己骑的马呀、驴子呀赶进小瓶中。

凑上去瞧瞧，一见如此，不免也觉得不服气。
墙。正好有一位政府的税官，收了好几十车的货物，打从那儿经过，见到这么多人围观，心里觉得好奇，也
活。一时之间，群情鼎沸，大家一传十、十传百，引来更多的人群，驻足围观的人群结结实实地形成一道人
只见隔着玻璃瓶子里，所有的马、驴子都变得只有像苍蝇那么丁点儿大，可是行动却依然像原来那么灵

I present this inscribed board to you,Master,as a token of my gratitude for your instruction.
Very good. Good inscription!
I love my master
I have had the good fortune to have you as my pupil. Now you are leaving...
I also present you with a board.
But that's usually presented at a funeral.
I grieve at the loss of a talented person
From now on you are Master Deng. There are a few commandments you must obey.
Yes.
One,you should not use black magic to deceive people.Two,you are not allowed to eat snake.Three ,you must not gamble.
A master has magic power. Why can't he gamble?
Because whenever a master gambles, he loses, so he'll be losing every day.

The last problem for you is to get down the precipitous cliff.
I am not daunted.Though I have not learnt the light skill or to ride the clouds, I have mastered the skill of snake control.
Good-bye, Master.
Having learnt the magic snake control skill, I return to my native land,carefree and happy.
The world outside is filled with fragrant flowers and chirping birds. Ah, it's so beautiful!
I play my magic flute while enjoying the beautiful scenery.
Eden has become Hell.
Snake Master, is there anything you want us to do?

全都跑进瓶子里，你回去怎么交得了差？」

税官心里想：「我押送这几十车，如此庞大数量的政府公物，我就不相信那小小的玻璃瓶儿，能奈我何？」便胸有成竹、有恃无恐地向胡媚儿开口挑战似的，说道：「那你还能不能把我这几十辆车子的货物，统统都弄进那小瓶子呢？」胡媚儿瞧了瞧，心想那是政府公物，迟疑了一会儿才说：「万一那些车子、货物

这位税官听到胡媚儿这样的回答，以为胡媚儿心虚了，便理直气壮开口了：「那是我的事，你就用不着替我操心了吧！」胡媚儿稍作沉思后便说：「你已答应了，如果我办得到，你可不要后悔啊！」税官听了哈哈大笑，看了看四周的群众，志得意满地说：「你就试试看，别再光说不练啦！」胡媚儿把瓶子微微地倒着，嘴巴里念念有词，接着大声地吆喝着。

To South of Yangtze
To Sichuan
Shall I go and have a good time in the south first,or shall I return to Sichuan to see my parents?
I'll throw a stone and let it decide whether I travel towards the east or the west.
To South of Yangtze
To Sichuan
Neither east nor west. I should stay where I am.
To South of Yangtze
To Sichuan
I'm in an awkward predica-ment.
What do you think,to the south or go home?
I am for going to the south!
My action is decided by a public opinion poll.To the south got 100% support.
To South of Yangtze
To Sichuan

只见那些车子、货物一辆接着一辆，轰隆轰隆鱼贯地进入小瓶子里。围观的人群争先恐后，大家都睁大了眼睛，凝视着小瓶儿，隔着玻璃，可以非常清楚地看见那些车子、货物，就像蚂蚁搬家一样，排着一列纵队，在那瓶子里面向前走着，没一会儿工夫，所有的马、驴、车子、货物，便一辆一辆地消失了。接着，突见那胡媚儿纵身一跳，跑进小瓶子里去了。

*This is a play on words,as the Chinese words for "brick"(砖头), "tomb"(坟头),"rock"(石头),"maid"(丫头) and "fist"(拳头)all include the character 头.

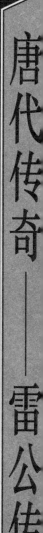

赶着一大队车辆、货物急急地往山东的方向奔去。开了，从此以后扬州的街道上，再也见不到胡媚儿的踪迹。一个月以后，传说有人在河北一带看见胡媚儿，汗流浃背。只见那位税官铁青着一张脸，跌坐在草地上，久久无法动弹，这时围观的群众大家议论纷纷地走那税官一看情形不对，赶紧拿起瓶子往地上砸，想要找回那些货物，却什么都不见了，不禁大惊失色，

Along the upper reaches of the Yangtze the scenery is magnificent.See the small town built on the cliffs?It's called Baidicheng.A little downstream is the site of the historic battle of Chibi...
As we reach the lower reaches of the river you'll see the rocky town of Jinling,which was capital of six dynasties: Eastern Wu,Eastern Jin,Song,Qi, Liang and Chen.
Here we are. The fare is three wen.
Very reasonable...
On top of that, you're to pay me 100 wen for being your tour guide.
The mountains in Jianguan are scenic and covered in mists...
It's damp here amidst the clouds and mist. I've got to take care.
Ahem,hem, hem!
So I was choked by second-hand smoke.

The beauty of the scenery in Jiangnan is first-rate.I see willow trees every where.
You people from the north call this tree willow, but we in the south call it little poplar.
Willow branches "flow" down and poplar branches grow upward. How can you call willows poplars?
We call poplars catkin willows, and we call willows little poplars!
Forget it! The more you explain the more confused I become.
The water flowing in the turbid Yellow River sounds like "ke,ke,ke"so the river is called 河(pronounced"he").
The Yangtze is clear,so the water sounds like "jiang, jiang,jiang";that's why it is called 江 (pronounced "jiang") .
The river bend forms a lane, so it is called...
...港 (harbour) !

唐代传奇：昆仑奴

唐肃宗大历年间，有一位姓崔的年轻人，长得一表人才，举止稳重安详，谈吐十分文雅，可算是一派斯文，他的父亲在朝廷为官，并且和当代朝廷上的一位盖世功臣，有着非常深厚的情谊。有一次，这位一品大功臣生了病，崔姓年轻人便被父亲派去探病、请安问好。这位一品官，一听到是好友的儿子来问安，就叫侍女把珠帘卷了起来，请崔生进去。

崔生请过安后，便在一旁坐下，一边和一品官闲聊，一边向四周打量。屋子相当大，布置也很豪华，一品官身旁，更有多位长得很漂亮的侍女随身伺候着。一品官示意，叫一个身穿红衣的侍女，端一盘浇上甘酪的桃子给崔生吃。崔生年纪尚轻，一看到有女孩儿站在身旁，显得十分害羞，于是任由桃子在一旁摆着，一直不好意思端起来吃。一品官笑着说：「怎么？害羞啊？」

Human Snake Harbour
Waw!
There are only people in the harbour. Where are the snakes?
That's right.But the people here are all snakes!
People living in this village are members of a group engaged in human trafficking.
I am Muddy-river Snake,a dealer in illegal immigration.
I am Chief Engineer Holding-back-river Snake.
I am Hundred-Flower Snake, passport forger.
I am Snake Subduer Master Deng who specialises in snake control.
Waw!
Waw!
What ?Why are you so frightened?
We thought you are an officer specialising in breaking illegal immigration and smuggling rings.
A false alarm ...

Why did you come to our village,Snake Master?
For sightseeing. And to make some extra money on the side by catching snakes.
It's a pity there are only humans in the village. There are no snakes for you to catch.
Don't worry.There are snakes wherever there are human communities.
What snake?
Local bullies!*
Hee,hee,hee!I am the local bully in this village.I'd like to see how a frail book-worm like you is going to cope with me.
I can't cope with you in a trial of strength. I will attack you from inside.
Ah! My belly...
Waw! The ache in my belly is awful. What magic did you use?
I played the snake-subduing melody so the roundworms in your belly are dancing to the music.

*The Chinese colloquial term for a local bully is 地头蛇.

唐代传奇——雷公传

崔生一时哼哼哈哈地说不出话来，一品官干脆就叫红衣侍女用匙子喂崔生吃桃子。崔生慌了手脚，觉得万分的不自在，却又不好意思拒绝，于是只好勉强吃了一点。红衣侍女看到崔生这般忸忸怩怩，也不觉得笑了起来，干脆把剩余的桃子端走，崔生如释重负，慌忙起身告辞。一品官说：「不再多坐一会儿？要是有时间的话，就多来府上玩玩嘛！可不要把我这糟老头给忘了，也不必拘束，就当是自己家一样！」

红衣侍女送崔生出去，崔生走在前头，红衣侍女跟随在后，崔生偶然回过头来，却见到红衣侍女正在向他作手势——先伸出三只指头，接着把手掌翻了三次，最后指了指胸前的小镜子，说：「请务必要记住了。」然后掉头进屋里去了。崔生回家以后，每每想起那位红衣侍女，不自觉神迷意夺，常常一个人坐在那里发呆，茶不思，饭不想，简直变成了一个闷葫芦。

Snake Control Expert— Snake Master
I'll put up a sign here to attract customers. ...
I've been sitting here for half a day and haven't seen a single customer.Business is really bad...
Maybe something's wrong with the wording of my sign...
Snake Killing Expert— Snake Master
Just by changing one word, I have attracted a sea of people ...
When are you killing snakes?
You kill tigers, too?

Snake Master,please subdue that terrible wife of mine, I beg you...
Sorry! I can only subdue worms and snakes, not the female tiger in your home.
But she is actually a snake...
Oh?
She was born in the year of snake!

My name is Xu Xian. My wife Bai Suzhen is the white snake spirit on the bank of the West Lake!
Right.There's a Ming Dynasty story, in which the heroine is a white snake spirit...
But I am not able to subdue the snake spirit...
Why not?
Because it is now the Tang Dynasty and you are a Ming Dynasty character.You've come at the wrong time!

Can you subdue all kinds of worms?
Sure I do.
Good! Please get rid of the worms in the belly of this child.
You must have eaten unclean food and there are roundworms in your belly. Am I right?
…
No! My mother wants you to get rid of the lazy bugs and sleepy bugs in me!

他一天到晚愁眉不展，口中始终念着：「误到蓬山顶上游，明珰玉女动星眸。朱扇半掩深宫月，应照琼芝雪艳愁。」在旁的左右侍从，也搞不清楚这究竟是为了什么。崔生家里，有一个叫磨勒的昆仑奴，看到公子每天都这样恍恍惚惚地，就问了：「公子，您究竟有什么心事？这样不快乐，何不告诉老奴，让老奴替你想想办法。」崔生懒散地回答：「你们知道些什么？居然问起我的心事来了。」

唐代传奇——雷公传

磨勒热心地说：「主子，你只管说吧！不是我夸口，只要你说得出来，我一定能替你解决的。」崔生心想，也许他真有办法也说不定，于是就把当天碰到红衣侍女的事，从始至末统统讲出来。磨勒听了，轻松地说：「这不过是小事一件罢了，伸出三个指头，是说她住在第三间院子里，手掌共翻了三次，不是指十五日吗？指着胸前的小镜子，就是叫你十五月圆如镜时去找她，早一些告诉我，你就不用把自己闷成这个样子了。」

Snake Control Expert
Snake Master
Snake Master,how much do you charge for getting rid of snakes.
Five wen for subduing each snake.
Waw!
Is that too high?
Five wen for one snake is not high...
But the cost is horrendous as I want to get rid of more than 1,000 snakes...
My father kept snakes as pets.He adopted more than 1,000 snakes of all kinds...
Now that he's dead, I want to rebuild my home.The snakes are a serious problem for me...
You can solve the problem according to the law.
What law?
According to the Regulations Concerning the Rebuilding of Old Villages,you can ask the snakes to move out.
Rebuilding of Old Villages

My home is four kilometres from the city...
I am sorry for making you travel such a long way.
It's all right.But it's you whom you should worry about.
Worry about what?
My fee for each outpatient snake is five wen, but for house calls I charge 100 wen per snake.

Here we are.
Thousand Snakes Residence.
Huh? I don't see any snake?
You'll see them in a minute!
Spring is here! Get out of bed!
Waw!
A cold spell arrived early this winter,so they went into hibernation prematurely.

绢布，做两件紧身夜行衣，待后天十五日，我陪你一同前往。」
猛，平常人一接近，就会被咬死，只有我才有办法，今晚我就去毙了它们。另外再请公子去买两匹深青色的
成这件事？」磨勒胸有成竹地说：「一品官的歌妓院门口有猛犬看守，那是曹州孟海地方的狗，既机警又勇
崔生听磨勒这么一解释，就全都明白，心中高兴极了，并且赶紧追问：「谜是解开了，但是要怎样去完

到了十五日夜半，磨勒和崔生穿上夜行衣，一起动身前往。磨勒背着崔生，一连飞越了几道门墙，终于来到第三歌妓院的门口，里面灯还亮着哩，只见红衣侍女在里头坐着，好像在等待什么似的，长长地叹着气，还一边哼着诗句：「深洞莺啼恨阮郎，偷来花下解珠当。碧云飘断音书绝，空倚玉萧愁凤凰。」这时四周一片寂静，崔生壮起了胆子，慢慢地拉开帘子走了进去。

Dear snake brothers and sisters, I inform you in sorrow that Granddad Hua who raised you has passed away!
According to convention, this house goes into the possession of Granddad Hua's son. You no longer have the right to live here.
But Granddad Hua promised to leave the house to us.
Do you have any proof in the old man's handwriting?
The board above the door is evidence left by Granddad Hua.

We are not asking you to move out for nothing. We are doing this according to the regulations concerning the pulling down of old houses.
Each of you will get your own residence!
The conditions are fair and acceptable.
Maybe we'll each get a villa with a garden!
It's a modern house built with reinforced bars.

OK. Since you refuse to move out voluntarily, I am going to deal with you by playing the snake-subduing melody.
Terrible!
Dreadful...
It's unbearable. I can't stand it any longer.
You should play it like this.

How dare you laugh at me! I'll play a more forceful snake-subduing melody!
Wow! This one is terrific.
It's real stuff!
We thank the musician for your excellent music...
Let's take the chance to have a year-end party.

红衣侍女发觉好像有人进来，紧张了一下，待看清楚是崔生后，便高兴得跳起来，向前拉住崔生的手，说道：「我就知道你绝顶聪明，一定能了解我手势的意思，只是你怎么有办法进得来呢？」崔生亦不愿掠人之美，便把磨勒是如何出主意，又如何帮他进来的情形，大致上说了一遍。红衣侍女忙问：「磨勒现人在哪里？」「就在帘外等着。」红衣侍女让崔生把磨勒喊进来，并亲自倒了杯酒给他。

唐代传奇——雷公传

并且对崔生说：「我本北方人氏，一品官仗着权势，硬把我要到这里当侍女，虽然我每天打扮得漂漂亮亮，可是心里却是很不痛快，即使吃的是山珍海味，穿戴的是绫罗珠翠，又有什么用！你的手下既然有一身的好功夫，何不帮助我脱离这监牢。只要能离开这里，就是死了也甘心，愿做你的奴仆，伺候你一辈子。」

崔生想到一品官的权势及两家的交情，觉得好为难，不禁低头无语。

Forward,forward, forward!Come after me.
Out,out,out! Let's all go out.
Ha,ha,ha!Our problem is solved!
No,the problem is more serious...
Now the streets are full of snakes...
Come back,come back! Don't roam the streets and terrify the townspeople...
please come here! I am going to announce my political views!
That's no fun.
How can a political speech compare with our striptease!

Since you won't obey me, I'll have to play a lullaby on my magic flute.
I am playing the tune of a new song by Li Ming.
Huh? Why is no one asleep?My music is ineffective?
Isn't Li Ming* the dawn?How can we sleep when it's broad daylight?
Since you refused my patient persuasion, I have to use force!
Don't blame me. You brought this upon yourselves by refusing a toast only to drink a forfeit.
No,no,no! You've misunderstood us.
We enjoy it very much,whether it's a toast or a forfeit!

磨勒倒是热心，抹了抹嘴巴说：「如果你的意志这般坚决，这倒也没什么困难的，我就先替你把生活必需品带出去。」他飞快地来来回回跑三趟，才把行李搬光，一看时候也不早了，紧张地说：「我们也得赶快走了，不然天一亮就来不及了。」回到家里，崔生便把红衣侍女先藏了起来。天亮后，终于有一品官家的侍卫发现，前去报告一品官：「歌妓院门口的猛犬被杀了，红衣侍女也不见了。」

* 黎明 Li Ming is the name of a popular singer and the two characters also mean "day break".

唐代传奇——雷公传

一品官得知消息后，吓得目瞪口呆，赶快吩咐下去：「我们家向来门禁森严，居然猛犬被杀，人被带走，却没有留下一点痕迹，若不是有飞檐走壁的功夫，万万不能办到。所以这件事情，千万别张扬出去，万一惹恼了什么武林高手，反而带来更大的灾祸，那就要遭殃了。」崔生起先总是小心翼翼地保护着红衣侍女，不敢轻易让她出去，可是时间一久，警戒心也就跟着慢慢松懈了。

Since you yield neither to persuasion nor to coercion I'll use force.
As a last resort I'll deal with you with my Snake-chopping Sword.
You resort to a hard measure, then we counter it with something soft!
With the law right here, we're not afraid of your tough measure!
Law on Rare Animal Protection
...

Snake Master! You were hired to drive away snakes. Hurry up and drive them away!
One against 1,000. It's an impossible battle.
One thousand and one against one. This is an easy battle.
Snake brothers, let's go back to the Thousand Snakes Residence.

You know very well that the house is going to be rebuilt.Why did you bring the snakes back?
The house doesn't have to be rebuilt.All you need to do is change the board above the gate.
I am rebuilding the house to make money. I am not a philanthropist running an asylum for snake vagrants.
Just change the name to Snake Garden for Tourists. You can still make money out of it.
Don't expect to get paid till you have fuifilled the task you were hired for.
...
I'll give you a precious gift so that your efforts were not made in vain.
Thank you very much.What is this precious gift?
Waw!
It's my very dear darling!

唐代传奇——雷公传

两年后，崔生趁着春光明媚，驾着小车、载着红衣侍女，来到曲江旁边玩，不巧被一品官的家人偷偷地辨认出来，一品官觉得奇怪，就把崔生找来问个究竟，崔生害怕得不敢作任何隐瞒，只好把当初磨勒如何帮忙的经过，一五一十地供出来。

一品官面色凝重说道：「你和红衣侍女的错，我也不再追究了。只是你那家奴这等厉害，往后不知道还会闯出什么大祸，我必须将他除掉，免得再有人受害。」于是派了五十名士兵到崔家去，准备把磨勒捉起来。这磨勒果然不是等闲之辈，看见来者不善，带了一把匕首，从高墙飞了出去，才一转眼就不见了。

Snake Garden for Tourists
Good-bye, snake brothers and sisters!
He is Snake Master,the snake-sub duing expert.
But he's just a dabbler.He failed to subdue the snakes.
Is that so?
So his title should be changed to Snake Loser!
Quite right! snake Loser!
As a Snake Master without the skill to subdue snakes, how can I make a living?
Fortunately I learnt to play the flute. I can earn a living with the flute.
Ladies and gentlemen, pay for my music if you have coins to spare,if not , your presence is also a source of support to me...
My music attracted all these snakes and my performance is ruined.

Our son has returned from his studies! What have you learnt, Son?
Sorry! I failed to learn to subdue snakes. I also failed in my attempt to make a living by playing the flute. I am ashamed to have disappointed you.
You were away for three years. Haven't you learnt anything at all?
I have learnt something ...
I failed to learn snake-subduing skills, but have acquired the talent of having a tongue as long as a snake!*
Waw!

没有捉到人，一品官也有几分后悔和害怕，唯恐他回来报复，在卧房四周布下严密的警戒，叫侍卫来来回回地彻夜巡逻，一直到过了将近一年，没有任何动静，这才开始放心。过了十多年，崔家有人看见磨勒在洛阳街头卖药，他的容貌依旧，一点也没显老。

*The Chinese colloquial term for a talkative woman is 长舌妇，As 舌 and 蛇 are homonyms,the author is using a pun here.

图字:01－2006－2285

图书在版编目(CIP)数据

雷公传 = Thunder God/ 蔡志忠绘;(新加坡). Wu Jing Yu 译. －北京:现代出版社,2006.12

(蔡志忠漫画中英文系列)

ISBN　7-80028-906-0

Ⅰ.雷…　Ⅱ.①蔡…②W…　Ⅲ.漫画-作品集-中国-现代　Ⅳ.J228.2

中国版本图书馆 CIP 数据核字(2006)第 135268 号

Thunder God

雷公传

作者/〔台湾〕蔡志忠
译者/ Wu Jing Yu
总策划/ 吴江江
责任编辑/ 张晶
封面设计/ 刘刚
出版发行/ 现代出版社(北京安外安华里 504 号　邮编:100011)
印刷/ 北京新华印刷厂
开本/ 880×1230　1/24　　印张/ 5.75
版次/ 2006 年 12 月第 1 版
　　2006 年 12 月第 1 次印刷
印数/ 1～8000 册
书号/ ISBN　7-80028-906-0
定价/　14.80 元